PRIMEIROS CANTOS

GONÇALVES DIAS

PRIMEIROS CANTOS

Edição organizada por:
Prof. Luiz Carlos Junqueira Maciel (Mestre em Literatura Brasileira pela U.F.M.G.)

Prof. Gilberto Xavier (Mestre em Literatura Brasileira pela P.U.C. / MG)

CONHEÇA NOSSOS LIVROS
ACESSANDO AQUI!

Copyright desta edição © IBC - Instituto Brasileiro De Cultura, 2023

Reservados todos os direitos desta produção, pela lei 9.610 de 19.2.1998.

2ª Edição, 3ª Impressão 2023

Presidente: Paulo Roberto Houch
MTB 0083982/SP

Coordenação Editorial: Priscilla Sipans
Coordenação de Arte: Rubens Martim (capa)
Produção Editorial: Eliana Nogueira
Revisão: Cláudia Rajão
Apoio de revisão: Lilian Rozati e Leonan Mariano

Vendas: Tel.: (11) 3393-7727 (comercial2@editoraonline.com.br)

Foi feito o depósito legal.

Dados Internacionais de Catalogação na Publicação (CIP)
de acordo com ISBD

D541p   Dias, Gonçalves

         Primeiros Cantos / Gonçalves Dias. - Barueri : Editora Itatiaia, 2022.
         144 p. ; 15,1cm x 23cm.

         ISBN: 978-85-31900-65-5

         1. Literatura brasileira. 2. Poesia. I. Título.

2022-3327   CDD 869.1
                        CDU 821.134.3(81)-1

Elaborado por Vagner Rodolfo da Silva - CRB-8/9410

IBC — Instituto Brasileiro de Cultura LTDA
CNPJ 04.207.648/0001-94
Avenida Juruá, 762 — Alphaville Industrial
CEP. 06455-010 — Barueri/SP
www.editoraonline.com.br

SUMÁRIO

O AUTOR 7

AO LEITOR 9

PRÓLOGO DA PRIMEIRA EDIÇÃO 11

POESIAS AMERICANAS 13

CANÇÃO DO EXÍLIO 13

O CANTO DO GUERREIRO 14

O CANTO DO PIAGA 17

O CANTO DO ÍNDIO 21

CAXIAS 23

DEPRECAÇÃO 24

O SOLDADO ESPANHOL 26

POESIAS DIVERSAS 38

A LEVIANA 38

A MINHA MUSA 39

DESEJO 43

SEUS OLHOS 44

INOCÊNCIA 46

PEDIDO 47

O DESENGANO 48

MINHA VIDA E MEUS AMORES 49

RECORDAÇÃO 52

TRISTEZA 53

O TROVADOR 55

AMOR! DELÍRIO - ENGANO 60

DELÍRIO..63

EPICÉDIO...65

SOFRIMENTO...67

VISÕES...69

I - PRODÍGIO...69

II - A CRUZ..70

III - PASSAMENTO..72

IV..76

V - A MORTE...80

O VATE...82

NO ÁLBUM DE UM POETA...82

À MORTE PREMATURA DA ILL.MA SRA. D....................................84

A MENDIGA...87

A ESCRAVA...91

AO DR. JOÃO DUARTE LISBOA SERRA.......................................94

O DESTERRO DE UM POBRE VELHO...97

O ORGULHOSO...100

O COMETA...101

AO SR. FRANCISCO SOTERO DOS REIS....................................101

O OIRO..103

A UM MENINO...104

O PIRATA..106

A VILA MALDITA, CIDADE DE DEUS.......................................110

QUADRAS DA MINHA VIDA RECORDAÇÃO E DESEJO......................117

HINOS..**124**

O MAR...124

IDEIA DE DEUS..127

O ROMPER D'ALVA...130

A TARDE...133

O TEMPLO...137

TE DEUM..140

ADEUS...141

REFERÊNCIAS BIBLIOGRÁFICAS..144

O AUTOR

Antônio Gonçalves Dias nasceu a 10 de agosto de 1823, no sítio Boa Vista, próximo à vila de Caxias, no Maranhão. Filho de um português com uma cafusa, o poeta traz, em suas veias, sangue das três raças formadoras da etnia brasileira: branca, negra e índia.

Separado dos pais desde menino, foi criado pela madrasta. Em 1840, matricula-se na Universidade de Coimbra. Fica até 1845 da Europa, onde adquire vasta cultura e escreve seu primeiro livro, *Primeiros cantos*. Ao retornar ao Brasil, publica esse livro e entra para o Instituto Histórico. Inicia sua atividade na imprensa carioca, é nomeado professor de Latim e História do Brasil no Colégio Pedro II e, com Joaquim Manuel de Macedo, funda a revista *Guanabara*.

Apesar de ter se apaixonado pela maranhense Ana Amélia do Vale, casa-se com Olímpia Coriolana da Costa. Não foi feliz. Aliás, seus poemas refletem muito essa infelicidade amorosa.

Faz novas viagens à Europa, em missão etnográfica e para assuntos de negócios estrangeiros. Morre no naufrágio do navio *Ville de Boulogne*, a 3 de novembro de 1864.

Além de *Primeiros cantos*, Gonçalves Dias escreveu: *Segundos cantos; Sextilhas de Frei Antão; Últimos cantos; Os Timbiras*. Para o teatro, escreveu os dramas: *Patkull; Beatriz de Cenci, Leonor de Mendonça; Boabdil*. É também autor de um dicionário de língua tupi.

O nome de Gonçalves Dias confunde-se com o Romantismo brasileiro. É tido como o nosso primeiro grande poeta romântico: seus versos influenciaram outras gerações, como a de Álvares de Azevedo e até a de Castro Alves.

As epígrafes de seus poemas justificam sua diversificada cultura: além de ler os poetas contemporâneos, os mestres do Romantismo europeu, Gonçalves Dias também se educou nas fontes clássicas, citando Ésquilo, Virgílio, Dante, Camões...

Embora a corrente estética a que se filiou valorizasse os assuntos nacionais, o poeta maranhense soube conciliar a dicção lusitana com uma sintaxe mais brasileira, criando, como observa Ledo Ivo, uma espécie de língua fronteiriça, em que *o arcaico avoengo e a fresca sintaxe vivencial se emparelham e até confraternizam*.

Uma das razões que faz esse poeta se destacar dentre os demais românticos assenta-se na *vigilância formal*, isto é, Gonçalves Dias não deixou que o excesso lacrimejante e a intensa melancolia, tão típicos de sua época, debilitassem suas pesquisas formais. Com efeito, o poeta explora vários tipos de metrificação, rompe com preceitos clássicos, diversifica a estrofação, recorre a arcaísmos e tupinismos. Aliás, o mais relevante desse autor está nesta *afirmação de nacionalidade, não só literária como política e moral*, fundamentada nas crônicas históricas, no projeto de cantar o índio, dignificando-o e dando-lhe eterna nobreza poética.

Primeiros cantos é um livro de um jovem de vinte e três anos. A composição mais emblemática, *Canção do exílio*, foi escrita quando Gonçalves Dias tinha vinte anos. O domínio da língua, a variedade rítmica, a erudição que não sacrifica a simplicidade, a intensa comunhão com Deus e a natureza, a forte influência medieval são alguns aspectos presentes nos 43 poemas, precedidos por um prólogo, no qual o próprio autor proclama as características de sua obra.

AO LEITOR

Esta edição de *Primeiros cantos* busca orientar os leitores na recepção de uma obra que, pelo seu gênero, estilo e linguagem, oferece determinadas dificuldades. Primeiramente, deve-se levar em conta o vocabulário utilizado pelo poeta, repleto de termos arcaicos, próprios da Idade Média, que foram retomados pelos românticos. Além do mais, o leitor há de perceber que os versos estão assinalados por apóstrofos, omissão de vogais, evidenciando as licenças poéticas e as inovações da métrica, no que Gonçalves Dias foi um verdadeiro prercursor em nossas letras. Em muitos poemas, há a presença de epígrafes em língua estrangeira. Nosso objetivo não foi o de fazer uma tradução literal ou literária, mas, na maioria das vezes, uma paráfrase das citações, para que se possa ter uma noção da temática a ser desenvolvida pelos poemas.

Provavelmente o número de notas de pé de página que introduzimos nesta edição poderá parecer excessivo e enfadonho, sufocando a fluência da leitura. Buscamos evitar um número ainda maior de observações, não repetindo certos vocábulos presentes ao longo dos textos e não entrando em detalhes a respeito de certas referências intertextuais. Entretanto, o próprio leitor — principalmente o estudante secundarista — haverá de convir que, em nosso tempo, a leitura de livros de poemas românticos torna-se, algumas vezes, parecida com certas pessoas amigas, que, mesmo que tenhamos enorme prazer em estar com elas, não é sempre que agradam, causando-nos, esporadicamente, preguiça, tédio e falta de paciência. O poeta e crítico Ledo Ivo certa vez escreveu que achava Gonçalves Dias *meio chatinho*. Mas, no decorrer de seu ensaio, acabou por ressalvar aspectos positivos do poeta do *Canto do Piaga* e não justificou o motivo da *chatice*. Pensamos que seria oportuna esta advertência: *Primeiros cantos*, em sua totalidade, é um livro chato. Há redundância de temas, certa abordagem pueril na lírica amorosa, mistérios inverossímeis e desfechos moralizantes em demasia, mau gosto de determinadas imagens, lugares comuns extraídos da Bíblia — o que nos faz lembrar de um irônico comentário de Carlos Drummond de Andrade a respeito de poetas bíblicos que despertam no leitor a vontade de ir direto ao livro santo... É certo que tais aspectos são inerentes à estética romântica e que foram, ao longo do tempo, imitados, plagiados, parafraseados e parodiados.

Para o leitor que ainda se entusiasma com acordes sentimentais, este livro será um permanente encanto. Mas, para quem se banhou nas águas modernistas das paródias e ironias antirromânticas, o bocejo será uma contingência inevitável no transcorrer da leitura, previsto desencanto.

Em todo caso, um crítico moderno observou que o século XX, em verdade, nem sequer existe, já que é uma continuação do movimento romântico, tendência que nunca acabou de morrer.

Ler Gonçalves Dias, em nossos dias, quando milhões deliram com histórias românticas a bordo de *Titanics*, pode ainda ser uma forma de não deixar, de todo, naufragarem as ilusões...

PRÓLOGO DA PRIMEIRA EDIÇÃO[1]

Dei o nome de Primeiros Cantos às poesias que agora publico, porque espero que não serão as últimas.

Muitas delas não têm uniformidade nas estrofes, porque menosprezo regras de mera convenção; adotei todos os ritmos da metrificação portuguesa, e usei deles como me pareceram quadrar melhor com o que eu pretendia exprimir.

Não têm unidade de pensamento entre si, porque foram compostas em épocas diversas — debaixo de céu diverso — e sob a influência de impressões momentâneas. Foram compostas nas margens viçosas do Mondego e nos píncaros enegrecidos do Gerez — no Doiro e no Tejo[2] — sobre as vagas do Atlântico, e nas florestas virgens da América. Escrevi-as para mim, e não para os outros; contentar-me-ei, se agradarem; e se não... é sempre certo que tive o prazer de as ter composto.

Com a vida isolada que vivo, gosto de afastar os olhos de sobre a nossa arena política para ler em minha alma, reduzindo à linguagem harmoniosa e cadente o pensamento que me vem de improviso, e as ideias que em mim despertam a vista de uma paisagem ou do oceano — o aspecto enfim da natureza. Casar assim o pensamento com o sentimento — o coração com o entendimento — a ideia com a paixão — cobrir tudo isto com a imaginação, fundir tudo isto com a vida e com a natureza, purificar tudo com o sentimento da religião e da divindade, eis a Poesia — a Poesia grande e santa — a Poesia como eu a compreendo sem a poder definir, como eu a sinto sem a poder traduzir.

O esforço — ainda vão — para chegar a tal resultado é sempre digno de louvor; talvez seja este o só merecimento deste volume. O Público o julgará; tanto melhor se ele o despreza, porque o Autor interessa em acabar com essa vida desgraçada, que se diz de Poeta.

Rio de Janeiro, julho de 1846.

---

1   Texto metalinguístico, o prólogo revela uma visão crítica que o poeta tem de sua própria poesia, antecipando as possíveis críticas sobre o seu primeiro livro. Depreende-se dessas palavras iniciais uma verdadeira plataforma da poesia romântica, assinalada pela inovação formal, sentimentalismo, individualismo, imaginação criadora, reflexos imediatos das circunstâncias marcando as emoções particulares.
2   Mondego, Doiro e Tejo são rios portugueses. Gerez é nome de uma serra de Portugal.

POESIAS AMERICANAS[3]

*Les infortunes d'un obscur habitant des
bois auraient-elles moins de droits à nos
pleurs que celles des autres hommes?
Chateaubriand*[4]

CANÇÃO DO EXÍLIO[5]

*Kennst du das Land, wo die Zitronen blühen,
Im dunkeln die Gold-Orangen glühen,
Kennst du es wohl? - Dahin, dahin!
Möcht ich... ziehn.*
-- Goethe[6]

Minha terra tem palmeiras,
Onde canta o Sabiá;
As aves, que aqui gorjeiam,
Não gorjeiam como lá.

Nosso céu tem mais estrelas,
Nossas várzeas têm mais flores,

---

3   Esta é a primeira das três partes que compõem *Primeiros cantos*, sendo as outras duas intituladas *Poesias Diversas e Hinos*. O crítico Alexandre Herculano considerou-a a mais importante, *pórtico do edifício*, e lamentou que ela não ocupasse mais espaço. Nela, prevalece a poesia indianista e saudosista. Mas "O soldado espanhol", último texto dessa parte, apresenta a volta ao passado medieval.

4   René-François Chateaubriand (1768-1848), romântico francês, autor de **Atala**, obra que aborda a vida dos selvagens. Esta epígrafe refere-se às desgraças dos obscuros homens das selvas, desgraças essas que não são menos sinceras aos nossos prantos do que aquelas de outros homens. Por aí verifica-se a intenção do poeta: tratar da temática indianista a partir do sentimento.

5   Composta em 1843, quando Gonçalves Dias, aos vinte anos, estava em Portugal, estudando. Não se trata de um exílio político. Embora não seja um texto indianista, o sentimento nativista é marcante neste poema que inspirou uma série de poetas, através de paráfrases e de paródias. O texto se estrutura a partir da oposição *aqui* (terra do exílio, terra da carência) x *lá* (pátria, espaço da beleza exuberante).

6   Johann Wolfgang von Goethe (1749-1832), figura máxima do romantismo alemão, inspirou poetas da Europa e da América. Estes versos pertencem à balada chamada "Mignon" e referem-se a um país onde florescem as laranjeiras, em cuja escura fronde ardem os frutos de ouro. O eu-lírico indaga se o leitor conhece tal terra, pois é para lá que ele quisera ir. Gonçalves Dias usa essa epígrafe, que vai ser parafraseada e ampliada, criando um texto original, que será imitado e parodiado mais tarde.

Nossos bosques têm mais vida,
Nossa vida mais amores[7].

Em cismar, sozinho, à noite,
Mais prazer encontro eu lá;
Minha terra tem palmeiras,
Onde canta o sabiá.

Minha terra tem primores[8],
Que tais não encontro eu cá;
Em cismar —, sozinho, à noite —
Mais prazer encontro eu lá;
Minha terra tem palmeiras,
Onde canta o Sabiá[9].

Não permita Deus que eu morra,
Sem que eu volte para lá;
Sem que desfrute os primores
Que não encontro por cá;
Sem qu'inda aviste as palmeiras,
Onde canta o Sabiá.

Coimbra - Julho 1843.

O CANTO DO GUERREIRO

I

Aqui na floresta
Dos ventos batida,
Façanhas de bravos
Não geram escravos,
Que estimem a vida
Sem guerra e lidar.

---

7   Em vez de se valer de adjetivos, o poeta explora os substantivos. Há o reforço poético, através das repetições, como as anáforas (repetição da primeira palavra em cada verso). Alguns desses versos foram aproveitados por Osório Duque Estrada, no *Hino Nacional Brasileiro*.
8   Manuel Bandeira observa a musicalidade do verso, notando a semelhança fônica entre *palmeiras* e *primores*, que significa excelências, belezas, encantos.
9   A estrofação é irregular, como foi observado pelo próprio poeta, no prólogo. As estrofes anteriores eram quadras, esta é uma sextilha, com seis versos. Mas a métrica é constante: redondilha maior, versos de sete sílabas.

— Ouvi-me, Guerreiros.
— Ouvi meu cantar[10].

II

Valente na guerra
Quem há, como eu sou?
Quem vibra o tacape[11]
Com mais valentia?
Quem golpes daria
Fatais, como eu dou?
— Guerreiros, ouvi-me;
— Quem há, como eu sou?[12]

III

Quem guia nos ares
A frecha imprumada[13],
Ferindo uma presa,
Com tanta certeza,
Na altura arrojada[14]
Onde eu a mandar?
— Guerreiros, ouvi-me,
— Ouvi meu cantar[15].

IV

Quem tantos imigos[16]
Em guerras preou?[17]
Quem canta seus feitos
Com mais energia?
Quem golpes daria
Fatais, como eu dou?[18]

---

10   As estrofes apresentam versos em redondilha menor, isto é, com cinco sílabas poéticas. As rimas ocorrem com frequência, mas não seguem disposição regular.
11   Arma ofensiva dos índios americanos, espécie de clava ou maça.
12   O eu-lírico não se identifica com o eu-biográfico, como ocorre na "Canção do Exílio". A voz poética pertence ao guerreiro indígena, que exibe sua força. Apesar da presença de certos termos de origem tupi, a linguagem usada é o legítimo português. Por aí, verifica-se que o índio já se apresenta *embranquecido* linguisticamente.
13   O mesmo que flecha emplumada, isto é, coberta de plumas. Os dicionários consultados não registram a grafia *imprumada*, que parece sugerir, também, *prumada*, ou seja, em posição vertical.
14   Lançada com ímpeto ou força.
15   Os dois últimos versos de cada estrofe funcionam como um refrão, mas que sofre variantes ao longo do poema. Tais versos funcionam como apelo ao leitor para a audição do poema.
16   Forma arcaica de *inimigos*.
17   Prender, aprisionar.
18   Observar como a repetição é um eficiente procedimento estilístico de Gonçalves Dias. Ele retoma versos da segunda estrofe.

— Guerreiros, ouvi-me:
— Quem há, como eu sou?

V

Na caça ou na lide[19],
Quem há que me afronte?!
A onça raivosa
Meus passos conhece,
O imigo[20] estremece,
E a ave medrosa
Se esconde no céu.
— Quem há mais valente,
— Mais destro[21] do que eu?

VI

Se as matas estrujo[22]
Co'os sons do Boré[23],
Mil arcos se encurvam,
Mil setas lá voam,
Mil gritos reboam[24],
Mil homens de pé[25]
Eis surgem, respondem
Aos sons do Boré!
— Quem é mais valente,
— Mais forte quem é?

VII

Lá vão pelas matas;
Não fazem ruído:
O vento gemendo
E as matas tremendo
E o triste carpido[26]
Duma ave a cantar,
São eles — guerreiros,
Que faço avançar.

---

19   Trabalho.
20   Inimigo.
21   Dotado de destreza, ágil, rápido.
22   Estrugir: fazer estremecer com estrondo.
23   Espécie de trombeta dos índios.
24   Fazer eco, repercutir.
25   Procedimento anafórico e hiperbólico.
26   Lamento, choro, pranto.

PRIMEIROS CANTOS

VIII

E o Piaga[27] se ruge
No seu Maracá[28],
A morte lá paira
Nos ares frechados,
Os campos juncados[29]
De mortos são já[30]:
Mil homens viveram,
Mil homens são lá[31].

IX

E então se de novo
Eu toco o Boré;
Qual fonte que salta
De rocha empinada,
Que vai marulhosa[32],
Fremente[33] e queixosa,
Que a raiva apagada
De todo não é[34],
Tal eles se escoam[35]
Aos sons do Boré.
— Guerreiros, dizei-me,
— Tão forte quem é?

O CANTO DO PIAGA[36]

I

Ó guerreiros da Taba[37] sagrada,
Ó guerreiros da Tribo Tupi,

---

27   Piaga ou pajé era, ao mesmo tempo, sacerdote, médico, adivinho e cantor dos indígenas brasileiros.
28   Instrumento sagrado, representado por uma cabaça, repleta de pedras, atravessada por uma haste enfeitada de penas.
29   Cobertos.
30   Os campos são já cobertos de mortos.
31   Mil homens que viveram, agora, estão lá, mortos, espalhados pelos campos.
32   Agitada. *Marulhosa* provém de marulho, relativo ao barulho do mar.
33   Vibrante, agitada, violenta.
34   Entenda-se que a raiva, ainda não apagada, motiva o canto fremente do guerreiro.
35   O poeta faz uma comparação entre seu canto raivoso e a água encachoeirada. Interessante seria a análise comparativa entre o fluxo da linguagem de Gonçalves Dias e a de Bernardo Guimarães, em seu delicioso *Elixir do Pajé*, no qual o autor mineiro parodia "O canto do guerreiro", recorrendo à linguagem chula, porém ritmada, em versos assim: *Quem vibra o marzapo/ com mais valentia?/ Quem conas enfia?/ com tanta destreza?/ Quem fura cabaços/ Com mais gentileza?*
36   Composto no Brasil, em 1846, este é o primeiro grande poema indianista de Gonçalves Dias, misturando aspectos dos gêneros épico, lírico e dramático. É dividido em três partes, estruturado em quadras com versos eneassílabos, ou seja, de nove sílabas, de corte trimétrico: entonação forte na terceira, sexta e nona sílaba. Esse tipo de verso tem o nome de anapesto, constituído por duas sílabas breves e uma longa. Segundo Gonçalves Dias, os Piagas viviam em cavernas e conversavam com os espíritos. Em seu canto, manifesta-se a fala do sagrado.
37   Aldeia indígena.

Falam Deuses nos cantos do Piaga,
Ó guerreiros, meus cantos ouvi[38].

Esta noite — era a lua já morta —
Anhangá[39] me vedava sonhar;
Eis na horrível caverna, que habito,
Rouca voz começou-me a chamar.

Abro os olhos, inquieto, medroso,
Manitôs![40] que prodígios[41] que vil
Arde o pau de resina fumosa,
Não fui eu, não fui eu, que o acendi![42]

Eis rebenta[43] a meus pés um fantasma,
Um fantasma d'imensa extensão;
Liso crânio repousa a meu lado,
Feia cobra se enrosca no chão.

O meu sangue gelou-se nas veias,
Todo inteiro — ossos, carnes — tremi,
Frio horror me coou[44] pelos membros,
Frio vento no rosto senti.

Era feio, medonho, tremendo[45],
Ó guerreiros, o espectro que eu vi.
Falam Deuses nos cantos do Piaga,
Ó guerreiros, meus cantos ouvi!

II

Por que dormes, ó Piaga divino?
Começou-me a Visão a falar,
Por que dormes? O sacro instrumento[46]
De per si[47] já começa a vibrar.

---

38   A voz poética pertence ao Piaga. Neste poema, o poeta recorrerá, também, à voz do espectro, o que confere ao texto a dimensão dramática.
39   Espírito do mal, que não deixava o Piaga dormir.
40   Deuses domésticos venerados pelos índios. O mesmo que *manitu*.
41   Coisas sobrenaturais.
42   Começam a ocorrer coisas inexplicáveis, sobrenaturais, como o pau que se queima, lançando fumaça, sem intervenção humana.
43   Irromper, manifestar-se violentamente.
44   Deixar passar através. Observar as assonâncias em /o/ e /e/, sugerindo a atmosfera sombria, lúgubre.
45   Terrível, horroroso.
46   Alusão ao maracá, instrumento sagrado, análogo ao saltério, instrumento musical dos Hebreus.
47   Expressão antiga, significando isoladamente, cada um por sua vez.

PRIMEIROS CANTOS

Tu[48] não viste nos céus um negrume
Toda a face do sol ofuscar;
Não ouviste a coruja, de dia,
Sons estrídulos torva[49] soltar?

Tu não viste dos bosques a coma[50]
Sem aragem[51] — vergar-se e gemer,
Nem a lua de fogo entre nuvens,
Qual[52] em vestes de sangue, nascer?

E tu dormes, ó Piaga divino!
E Anhangá te proíbe sonhar!
E tu dormes, ó Piaga, e não sabes,
E não podes augúrios[53] cantar?!

Ouve o anúncio do horrendo fantasma,
Ouve os sons do fiel Maracá;
Manitôs já fugiram da Taba!
Ó desgraça! ó ruína! ó Tupá![54]

III

Pelas ondas do mar sem limites[55]
Basta selva, sem folhas[56], i[57] vem;
Hartos[58] troncos, robustos, gigantes;
Vossas matas tais monstros[59] contêm.

Traz embira dos cimos pendente[60]
— Brenha espessa de vário cipó —

---

48   Isto é, o Piaga.
49   Visão e audição sugerindo maus presságios, coisas ruins. A coruja é torva, isto é, pavorosa, solta seus gritos estridentes. Na edição da Agir, organizada por Manuel Bandeira, está *seus estrídulos* em vez de *sons estrídulos*.
50   Cabeleira, isto é, metáfora para as copas das árvores. Houve o hipérbato: Tu não visse a coma dos bosques vergar-se e gemer sem aragem.
51   Vento brando, brisa vibração. Além da visão e da audição, há também a exploração do tato.
52   Depois da metáfora da lua de fogo, o poeta insere um símile, como se a lua nascesse em roupas de sangue.
53   Agouro, prognóstico.
54   O deus, o ente supremo entre os índios.
55   Nesta última parte, vem o anúncio do fantasma: a destruição vem pelo mar, nas caravelas.
56   Entenda-se que a selva, numerosa e sem folhas, refere-se à mastreação das naus portuguesas. Essa imagem prossegue nos versos seguintes, quando o espectro fala em brenha de vário cipó.
57   Forma arcaica de aí.
58   Grossos, fortes.
59   Nas matas existem as madeiras que servem para construir as caravelas, até então desconhecidas pelos índios.
60   Hipérbato e linguagem figurada: os cordames que amarram os mastros das naus.

Dessas brenhas contêm vossas matas,
Tais e quais, mas com folhas; é só![61]

Negro monstro os sustenta por baixo[62],
Brancas asas abrindo ao tufão,
Como um bando de cândidas garças,
Que nos ares pairando — lá vão.

Oh! quem foi das entranhas das águas,
O marinho arcabouço[63] arrancar?
Nossas terras demanda, fareja...
Esse monstro... — o que vem cá buscar?

Não sabeis o que o monstro procura?
Não sabeis a que vem, o que quer?
Vem matar vossos bravos guerreiros,
Vem roubar-vos a filha, a mulher!

Vem trazer-vos crueza, impiedade —
Dons cruéis do cruel[64] Anhangá;
Vem quebrar-vos a maça[65] valente,
Profanar Manitôs, Maracá.

Vem trazer-vos algemas pesadas,
Com que a tribo Tupi vai gemer;
Hão-de os velhos servirem[66] de escravos
Mesmo o Piaga inda escravo há de ser!

Fugireis procurando um asilo,
Triste asilo por ínvio[67] sertão;

---

61   Interessante mostrar que o sobrenatural mescla-se com o natural, o desconhecido com o familiar.
As árvores possuem folhas, mas os mastros são como árvores sem folhas, o que instaura o terror devido
à ausência de um elemento (as folhas), similar ao que ocorre com as crianças que, normalmente,
amedrontam-se ao observar um homem sem braço ou sem olho.
62   Prossegue a imagem: aqui, fala-se do casco; adiante, na mesma estrofe, das velas das naus.
63   Esqueleto, estrutura de madeira. Referência ao monstro marinho, isto é, à embarcação do colonizador.
Observar que a nau invasora tem elementos das alturas do ar (asas), das profundidades da água (entranhas)
e busca conquistar as terras indígenas.
64   A repetição não decorre da pobreza do vocabulário: é recurso estilístico, reforço poético amplamente
usado por Gonçalves Dias.
65   Arma de extremidade esférica, com pontas aguçadas.
66   A língua padrão aconselha o infinito impessoal, mas o poeta optou por essa forma, mais expressiva.
67   Intransitável.

Anhangá de prazer há de rir-se,
Vendo os vossos quão poucos serão[68].

Vossos Deuses, ó Piaga, conjura[69],
Susta[70] as iras do fero[71] Anhangá.
Manitôs já fugiram da Taba,
Ó desgraça! ó ruína!! ó Tupá!

O CANTO DO ÍNDIO[72]

Quando o sol vai dentro d'água
    Seus ardores sepultar,
Quando os pássaros nos bosques
    Principiam a trinar[73];

Eu a vi, que se banhava...
    Era bela, ó Deuses, bela,
Como a fonte cristalina,
    Como luz de meiga estrela.

Ó Virgem, Virgem dos Cristãos formosa[74],
Porque eu te visse assim, como te via,
Calcara agros[75] espinhos sem queixar-me,
Que antes me dera por feliz de ver-te.

O tacape[76] fatal em terra estranha
Sobre mim sem temor veria erguido;
Dessem-me a mim somente ver teu rosto
Nas águas, como a lua[77], retratado.

---

68   O espírito do mal terá prazer em verificar que os índios serão dizimados, reduzidos, extintos.
69   Suplica, roga com insistência.
70   Interrompe.
71   Feroz, cruel.
72   Outro poema em que no título há um termo associado a canto, canção, evidenciando a necessidade da expressão lírica. Aqui, a voz poética encena a *persona* de um índio, novamente.
73   Gorjear.
74   Hipérbato: Virgem formosa dos Cristãos. Observar que a estrofe apresenta versos decassílabos, enquanto nas anteriores eram versos em redondilha maior, isto é, de sete sílabas.
75   Agro: acre, agudo, penetrante. Esse termo, muito presente na poesia de Gonçalves Dias, possui outros significados, como amargo, árduo, áspero. Observar certa *cristianização* do índio que, disposto a sofrer pela virgem cirstã, quer igualar-se a Jesus em seu martírio, *calcando espinhos*.
76   Maça, clava.
77   Observar a presença da natureza nos símiles: a virgem branca, que já foi comparada à fonte cristalina, agora é vista como a lua.

Eis que os seus loiros cabelos[78]
    Pelas águas se espalhavam,
Pelas águas, que de vê-los
    Tão loiros se enamoravam[79].

Ela erguia o colo ebúrneo[80],
    Por que melhor os colhesse[81];
Níveo[82] colo, quem te visse,
    Que de amores não morresse!

Passara a vida inteira a contemplar-te,
Ó Virgem, loira Virgem tão formosa,
Sem que dos meus irmãos ouvisse o canto,
Sem que o som do Boré que incita a guerra
Me infiltrasse o valor que m'hás roubado,
Ó Virgem, loira Virgem tão formosa[83].

Às vezes, quando um sorriso
    Os lábios seus entreabria,
Era bela, oh! mais que a aurora
    Quando a raiar principia[84].

Outra vez — dentre os seus lábios
    Uma voz se desprendia;
Terna voz, cheia de encantos,
    Que eu entender não podia.

Que importa? Esse falar deixou-me n'alma
Sentir d'amores tão sereno e fundo,
Que a vida me prendeu, vontade e força
Ah! que não queiras tu viver comigo,
Ó Virgem dos Cristãos, Virgem formosa!

---

78   Retorno ao verso em redondilha maior. A virgem, além de branca, possui cabelos loiros; obsessão romântica, certamente calcada da Idade Média.
79   Além da repetição da expressão *Pelas águas*, observar o uso da prosopopeia.
80   Da cor do marfim.
81   Para que melhor colhesse os cabelos.
82   Da cor da neve.
83   Esta estrofe é uma sextilha, contém seis versos. Observar que o índio sobrepõe o amor à branca aos valores de sua cultura. É o que José de Alencar fará em *O Guarani*, na relação entre Peri e Cecília.
84   O sorriso entreabria os lábios. Mais do que a aurora quando principia a raiar.

Sobre a areia, já mais tarde,
 Ela surgiu toda nua;
Onde há, ó Virgem, na terra
 Formosura como a tua?

Bem como gotas de orvalho
 Nas folhas de flor mimosa,
Do seu corpo a onda em fios
 Se deslizava amorosa[85].

Ah! que não queiras tu vir ser rainha
Aqui dos meus irmãos, qual[86] sou rei deles!
Escuta, ó Virgem dos Cristãos formosa.
Odeio tanto aos teus, como te adoro;

Mas queiras tu ser minha, que eu prometo
Vencer por teu amor meu ódio antigo,
Trocar a maça do poder por ferros
E ser, por te gozar, escravo deles[87].

CAXIAS[88]

Quanto és bela, ó Caxias! — no deserto,
Entre montanhas, derramada em vale
 De flores perenais[89],
És qual tênue vapor que a brisa espalha
No frescor da manhã meiga soprando
 À flor de manso lago.

Tu és a flor que despontaste livre
Por entre os troncos de robustos cedros,

---

85 Símile: assim como as gotas do orvalho que deslizam sobre a flor, os fios da onda deslizam sobre o corpo da Virgem. Observar a carga erótica presente na imagem.
86 Entenda-se: assim como eu sou o rei dos meus irmãos, tu seria a rainha deles.
87 Entenda-se: o índio prefere ser prisioneiro dos brancos, por amor à Virgem. Maça é metonímia do poder indígena, enquanto os ferros indicam as correntes do escravo. Gonçalves Dias, cantor dos índios em verdade, romanticamente, coloca-os submissos aos brancos.
88 Poema sobre a terra natal de Gonçalves Dias. As estrofes são regulares: seis versos, sendo que o terceiro e o sexto são hexassílabos e os demais, decassílabos, como é comum na odes, ou seja, cantos de exaltação.
89 Eternas.

Forte — em gleba[90] inculta;
És qual gazela, que o deserto educa,
No ardor da sesta debruçada exangue
À margem da corrente[91].

Em mole seda as graças não escondes[92],
Não cinges d'oiro a fronte que descansas
Na base da montanha[93];
És bela como a virgem das florestas,
Que no espelho das águas se contempla,
Firmada em tronco anoso[94].

Mas um dia inda virá, em que te pejes[95]
Dos, que ora trajas, símplices ornatos
E amável desalinho:
Da pompa e luxo amiga, hão de cair-te
Aos pés então — da poesia a c'roa
E da inocência o cinto.

DEPRECAÇÃO[96]

Tupã, ó Deus grande! Cobriste o teu rosto
Com denso velâmen[97] de penas gentis;
E jazem teus filhos clamando vingança
Dos bens que lhes deste da perda infeliz![98]

Tupã, ó Deus grande! teu rosto descobre:
Bastante sofremos com tua vingança!
Já lágrimas tristes choraram teus filhos
Teus filhos que choram tão grande mudança.

---

90   Gleba é um terreno próprio para cultura. Na imagem do poeta, sua cidade floresce em pleno deserto, e é forte, resistente.
91   Aqui, o poeta compara Caxias a uma gazela educada pelo deserto, que se acha exausta à margem do rio, na hora quente do dia. Observar os símiles extraídos da natureza, muitas vezes, de mau gosto.
92   Caxias tem a beleza natural, não se veste de seda.
93   Caxias, situada na base da montanha, não é coroada de ouro.
94   Caxias é comparada a uma índia, que se firma nm velho tronco à margem das águas.
95   Envergonhes. Entenda-se: a cidade um dia haverá de se envergonhar dos trajes simples e do amável desalinho e será amiga do luxo e da pompa. Nesse dia, haverá de cair aos seus pés a coroa da poesia e o cinto da inocência. Na concepção romântica, o encanto se acha na natureza, na simplicidade. O crescimento da cidade implica riqueza e artificialismo — o que representa o fim da poesia e da inocência.
96   Deprecar: rogar, suplicar, implorar. Os versos são de onze sílabas, ou seja, hendecassílabos. As estrofes são regulares.
97   Disfarce, máscara.
98   Entenda-se: da perda infeliz dos bens que lhes deste. Os índios vão suplicar a proteção ao deus Tupã.

Anhangá impiedoso nos trouxe de longe
Os homens que o raio manejam cruentos[99],
Que vivem sem pátria, que vagam sem tino[100]
Trás do ouro correndo, voraces, sedentos101.

E a terra em que pisam, e os campos e os rios
Que assaltam, são nossos; tu és nosso Deus:
Por que lhes concedes tão alta pujança[102],
Se os raios de morte, que vibram, são teus?

Tupã, ó Deus grande! cobriste o teu rosto
Com denso velâmen de penas gentis;
E jazem teus filhos clamando vingança
Dos bens que lhes deste da perda infeliz.

Teus filhos valentes, temidos na guerra,
No albor[103] da manhã quão fortes que os vi!
A morte pousava nas plumas da frecha,
No gume da maça, no arco Tupi!

E hoje em que apenas a enchente do rio.
Cem vezes hei[104] visto crescer e baixar...
Já restam bem poucos dos teus, qu'inda possam
Dos seus, que já dormem, os ossos levar[105].

Teus filhos valentes causavam terror,
Teus filhos enchiam as bordas do mar,
As ondas coalhavam de estreitas igaras[106],
De frechas cobrindo os espaços do ar.

Já hoje não caçam nas matas frondosas
A corça ligeira, o trombudo[107] quati...

---

99   Referência aos brancos, que manejam armas de fogo.
100 Juízo, prudência.
101 Movidos pela ambição, os brancos correm atrás do ouro, com voracidade.
102 Robustez, vigor, força.
103 Alvorada, amanhecer.
104 Observar o estilo classicizante, erudito: *hei visto*, tenho visto.
105 Referência aos rituais fúnebres dos índios.
106 Canoas pequenas e esguias.
107 Carrancudo, sombrio, torvo.

A morte pousava nas plumas da frecha,
No gume da maça, no arco Tupi!

O Piaga nos disse que breve seria,
A que nos infliges cruel punição;
E os teus inda vagam por serras, por vales,
Buscando um asilo por ínvio sertão!

Tupã, ó Deus grande! descobre o teu rosto:
Bastante sofremos com tua vingança!
Já lágrimas tristes choraram teus filhos,
Teus filhos que choram tão grande tardança.

Descobre o teu rosto, ressurjam os bravos,
Que eu vi combatendo no albor da manhã;
Conheçam-te os feros, confessem vencidos
Que és grande e te vingas, qu'és Deus, ó Tupã!

O SOLDADO ESPANHOL[108]

Un soldat au dur visage
-- V. Hugo[109]

I

Oh! qui révélera les troubles, les mystères
Que ressentent d'abord deux amants solitaires
Dans l'abandon d'un chaste amour?
-- Amour et Foi[110]

O céu era azul, tão meigo e tão brando,
A terra tão erma, tão quieta e saudosa,
Que a mente exultava, mais longe escutando
O mar a quebrar-se na praia arenosa.

---

108 Poema que evidencia a volta ao passado medieval, uma das características do Romantismo. Este poema constitui um drama amoroso, organizado em sete partes, sendo que o seu assunto foi extraído de romances de cavalaria: o cavaleiro despede-se da esposa ao partir para guerra. Quando retorna, tempos depois, encontra-a com outro. Assassina, então, o amante e a mulher.
109 Victor Hugo (1802-1885), poeta e romancista do Romantismo francês, autor de vasta obra, incluindo **Os miseráveis**. A epígrafe refere-se a um soldado de semblante duro.
110 Quem revelará as perturbações, os mistérios, que ressentem sobretudo dois amantes solitários no abandono de um puro amor?

O céu era azul, e na cor semilhava
Vestido sem nódoa de pura donzela;
E a terra era a noiva que bem se arreava
De flores, matizes; mas vária, mas bela[111].

> Ela era brilhante,
> Qual raio do sol;
> E ele arrogante,
> De sangue espanhol.

E o espanhol muito amava
A virgem mimosa e bela;
Ela amante, ele zeloso
Dos amores da donzela;
Ele tão nobre e folgando
De chamar-se escravo dela!

E ele disse: — Vês o céu? —
E ela disse: — Vejo, sim;
Mais polido que o polido
Do meu véu azul cetim. —
Torna-lhe ele... (oh! quanto é doce
Passar-se uma noite assim!).

— Por entre os vidros pintados
D'igreja antiga, a luzir
Não vês luz? — Vejo. — E não sentes
De a veres, meigo sentir?
— É doce ver entre as sombras
A luz do templo a luzir!

— E o mar, além, preguiçoso
Não vês tu em calmaria?
— É belo o mar; porém sinto,

---

111 Essas estrofes iniciais apresentam versos hendecassílabos. Observar a variação métrica de outras estrofes.

Só de o ver, melancolia.
— Que mais o teu rosto enfeita
Que um sorriso de alegria.

— E eu tão bem acho em ser triste
Do que alegre, mais prazer;
Sou triste, quando em ti penso,
Que só me falta morrer;
Mesmo a tua voz saudosa
Vem minha alma entristecer.

— E eu sou feliz, como agora,
Quando me falas assim;
Sou feliz quando se riem
Os lábios teus de carmim[112];
Quando dizes que me, adoras,
Eu sinto o céu dentro em mim.

— És tu só meu Deus, meu tudo,
És tu só meu puro amar,
És tu só que o pranto podes
Dos meus olhos enxugar. —
Com ela repete o amante:
— És tu só meu puro amar! —

E o céu era azul, tão meigo e tão brando
E a terra tão erma, tão só, tão saudosa,
Que a mente exultava, mais longe escutando
O mar a quebrar-se na praia arenosa!

II

Ainsi donc aujourd'hui, demain, après encore,
Il faudra voir sans tal naître et mourir l'aurore!

-- V. Hugo[113]

E o espanhol viril, nobre e formoso,
    No bandolim

---

112 Vermelhos.
113 Portanto, hoje, amanhã e depois, ainda mais uma vez, será necessário ver, sem você, o nascer e o morrer da aurora.

Seus amores dizia mavioso,
  Cantando assim:

"Já me vou por mar em fora
Daqui longe a mover guerra,
Já me vou, deixando tudo,
Meus amores, minha terra.

"Já me vou lidar em guerras,
Vou-me à Índia ocidental;
Hei de ter novos amores...
De guerras... não temas al[114].

"Não chores, não, tão coitada,
Não chores por t'eu deixar;
Não chores, que assim me custa
O pranto meu sofrear[115].

"Não chores! — sou como o Cid[116]
Partindo para a campanha;
Não ceifarei tantos louros[117],
Mas terei pena tamanha[118]."

E a amante que assim o via
Partir-se tão desditoso[119],
— Vai, mas volta; lhe dizia:
Volta, sim, vitorioso.

"Como o Cid, oh! Crua sorte
Não me vou nesta campanha
Guerrear contra o crescente[120],
Porém sim contra os d'Espanha!

"Não me aterram[121]; porém sinto
  Cerrar-se o meu coração,

---

114 Expressão arcaica: outra coisa.
115 Conter, refrear.
116 Mito literário espanhol, Rodrigo Dias, senhor de Castela, hábil guerreiro, que servia com lealdade o rei espanhol D. Afonso.
117 Ceifar louros: obter fama, glória.
118 O sofrer.
119 Infeliz.
120 Metonímia: referência às armas e à antiga bandeira do Império Turco.
121 Aterrar: aterrorizar, amedrontar.

Sinto deixar-te, meu anjo,
Meu prazer, minha afeição.

"Como é doce o romper d'alva,
É-me doce o teu sorrir,
Doce e puro, qual d'estrela
De noite — o meigo luzir.

"Eram meus teus pensamentos,
Teu prazer minha alegria,
Doirada fonte d'encantos,
Fonte da minha poesia.

"Vou-me longe, e o peito levo
Rasgado de acerba[122] dor,
Mas comigo vão teus votos,
Teus encantos, teu amor!

"Já me vou lidar em guerras,
Vou-me à Índia ocidental;
Hei de ter novos amores...
De guerras... não temas al."

Esta era a canção que acompanhava
No bandolim,
Tão triste, que de triste não chorava
Dizendo assim:

III

O Conde deu o sinal da partida
- À caça! meus amigos.
-- Burger

"Quero, pajens, selado o ginete[123],
Quero em punho nebris e falcão[124],

---

122 Amarga.
123 Cavalo.
124 Referência aos falcões adestrados para a caça, que eram cobertos por uma carapuça.

Qu'é promessa de grande caçada
Fresca aurora d'amigo verão.

"Quero tudo luzindo, brilhante
— Curta espada e venab'lo[125] e punhal,
Cães e galgos[126] farejem diante
Leve odor de sanhudo animal.

"E ai do gamo que eu vir na coutada[127],
Corça, onagro[128], que eu primo[129] avistar!
Que o venab'lo nos ares voando
Lhe há de o salto no meio quebrar[130].

Eia, avante! — Dizia folgando
O fidalgo mancebo, loução[131]:
— Eia, avante? — e já todos galopam
Trás do moço, soberbo infanção[132]."

E partem, qual do arco arranca e voa
Nos amplos ares, mais veloz que a vista,
A plúmea seta da entesada corda.
Longe o eco reboa: — já mais fraco,
Mais fraco ainda, pelos ares voa.
Dos cães dúbio[133] o latir se escuta apenas,
Dos ginetes tropel, rinchar distante
Que em lufadas o vento traz por vezes.
Já som nenhum se escuta... Quê! — latido
De cães, incerto, ao longe? Não, foi vento
Na torre castelã batendo acaso,
Nas seteiras acaso sibilando
Do castelo feudal, deserto agora.

---

125 Venábulo: espécie de lança ou dardo usado para a caça de feras.
126 Cães adestrados.
127 Referência ao cerrado, onde corre o gamo, o veado.
128 Espécie de burro, jumento.
129 Primeiro.
130 Entenda-se que o salto do animal será interrompido pela lança do caçador.
131 Vistoso, elegante.
132 Antigo título de nobreza.
133 O latido vacilante dos cães.

IV

Vois, à l'horizon
Aucune maison?
- Aucune[134].
-- V. Hugo

Já o sol se escondeu; cobre a terra
Belo manto de frouxo luar;
E o ginete, que esporas atracam,
Nitre[135] e corre sem nunca parar.

Da coutada nas ínvias ramagens
Vai sozinho o mancebo infanção;
Vai sozinho, afanoso[136] trotando
Sem temores, sem pajens, sem cão.

Companheiros da caça há perdido,
Há perdido no aceso caçar;
Há perdido, e não sente receio
De sozinho, nas sombras trotar.

Corno ebúrneo[137] embocou muitas vezes,
Muitas vezes de si deu sinal;
Bebe atento à resposta, e não ouve
Outro som responder-lhe; inda mal!

E o ginete que esporas atracam,
Nitre e corre sem nunca parar;
Já o sol se escondeu, cobre a terra
Belo manto de frouxo luar.

V

De rosée
Arrosée.
La rose a moins de fraîcheur.
-- Henrique IV[138]

---

134 Eis, o horizonte. Nenhuma casa? — Nenhuma.
135 Relincha.
136 Cheio de cuidados, de atenção.
137 Chifre usado para chamar os cães.
138 Trecho da peça de Shakespeare, referindo-se à rosa menos viçosa depois que o orvalho caiu.

Silêncio grato da noite
Quebram sons duma canção,
Que vai dos lábios de um anjo
Do que escuta ao coração.

Dizia a letra mimosa
Saudades de muito amar;
E o infanção enleiado[139]
Atento, pôs-se a escutar.

Era encantos voz tão doce[140],
Incentivo essa ternura,
Gerava delícias n'alma
Sonhar d'havê-la a ventura.

Queixosa cantava a esposa
Do guerreiro que partiu,
Largos anos são passados,
Missiva[141] dele não viu...

Parou!... escutando ao perto
Responder-lhe outra canção!...
Era terna a voz que ouvia,
Lisonjeira — do infanção:

"Tenho castelo soberbo
Num monte, que beija um rio,
De terras tenho no Doiro
Jeiras cem[142] de lavradio;

"Tenho lindas haqueneias[143],
Tenho pajens e matilha,
Tenho os milhores ginetes
Dos ginetes de Sevilha;

---

139 Enleado, indeciso, confuso.
140 Entenda-se: voz tão doce eram encantos. O resto da quadra deve ser assim entendido: *essa ternura
(era) incentivo, sonhar a ventura de havê-la gerava delícias na alma.*
141 A esposa não recebera cartas do marido.
142 Medida agrária.
143 Do francês *haquenés,* éguas de andadura especial que serviam outrora como montaria de damas.

"Tenho punhal, tenho espada
D'alfageme[144] alta feitura,
Tenho lança, tenho adaga,
Tenho completa armadura.

"Tenho fragatas que cingem
Dos mares a linfa clara,
Que vão preiando piratas
Pelas rochas de Megara[145].

"Dou-te o castelo soberbo
E as terras do fértil Doiro,
Dou-te ginetes e pajens
E a espada de pomo d'oiro[146].

"Dera a completa armadura
E os meus barcos d'alto-mar,
Que nas rochas de Megara
Vão piratas cativar.

"Fala de amores teu canto,
Fala de acesa paixão...
Ah! senhora, quem tivera
Dos agrados teus condão![147]

"Eu sou mancebo, sou Nobre,
Sou nobre moço infanção;
Assim podesse o meu canto
Algemar-te o coração,
Ó Dona, que eu dera tudo
Por vencer-te essa isenção!"[148]

Atenta escutava a esposa
Do guerreiro que partiu,
Largos anos são passados,

---

144 Entenda-se que as armas foram especialmente feitas pelos fabricantes de espadas.
145 Região da Grécia.
146 Imagem que pode ser relacionada com a espada mágica de ouro, que na Idade Média simbolizava a perfeita decisão espiritual.
147 Entenda-se: quem tivera o dom de ter os seus agrados.
148 Refere-se ao desdém, à esquivança da mulher.

Missiva dele não viu;
Mas da letra que escutava
Delícias n'alma sentiu.

VI

> *Si tu voulais, Madeleine,*
> *Je te ferais châtelaine;*
> *Je suis le comte Roger: -*
> *Quitte pour moi ces chaumières,*
> *A moins que tu me préfères*
> *Que je me fasse berger[149].*
> -- V. Hugo

E noutra noite saudosa
Bem junto dela sentado,
Cantava brandas endechas[150]
O gardingo[151] namorado.

"Careço de ti, meu anjo,
Careço do teu amor,
Como da gota d'orvalho
Carece no prado a flor.

"Prazeres que eu nem sonhava
Teu amor me fez gozar;
Ah! que não queiras, senhora,
Minha dita rematar[152].

"O teu marido é já morto,
Notícia dele não soa;
Pois desta gente guerreira
Bastos ceifa a morte à toa[153].

---

149 Se tu queres, Madelaine, eu te farei rainha; eu sou o conde Roger. Deixe por mim cabanas, a menos
que prefiras que me torne pastor.
150 Composição melancólica
151 Nobre.
152 Acabar com a sorte.
153 Entenda-se: a morte ceifa muitos desta gente guerreira.

"Ventura me fora ver-te
Nos lábios teus um sorriso,
Delícias me fora amar-te,
Gozar-te meu paraíso.

"Sinto aflição, quando choras;
Se te ris, sinto prazer;
Se te ausentas, fico triste,
Que só me falta morrer.

"Careço de ti, meu anjo,
Careço do teu amor,
Como da gota d'orvalho
Carece no prado a flor."

VII

L'époux, dont nul ne se souvient,
Vient;
Il va punir ta vie infâme,
Femme![154]
-- V. Hugo

Era noite hibernal; girava dentro
Da casa do guerreiro o riso, a dança,
E reflexos de luz, e sons, e vozes,
E deleite, e prazer; e fora a chuva,
A escuridão, a tempestade, e o vento,
Rugindo solto, indômito e terrível
Entre o negror do céu e o horror da terra.
Na geral confusão os céus e a terra
Horrenda simpatia alimentavam.
Ferve dentro o prazer, reina o sorriso,
E fora a teritar, fria, medonha,
Marcha a vingança pressurosa e torva:
Traz na destra o punhal, no peito a raiva,
Nas faces palidez, nos olhos morte.

---

154 O esposo, do qual nada se lembra, vem. E irá punir a tua vida infame, mulher.

O infanção extremoso enchia rasa
A taça de licor mimoso e velho,
Da usança ao brinde convidando a todos
Em honra da esposada: — À noiva! exclama.

E a porta range e cede, e franca e livre
Introduz o tufão, e um vulto assoma
Altivo e colossal. — Em honra, brada,
Do esposo deslembrado! — e a taça empunha,
Mas antes que o licor chegasse aos lábios,
Desmaiada e por terra jaz a esposa,
E a destra do infanção maneja o ferro,
Por que tão grande afronta lave o sangue,
Pouco, bem pouco para injúria tanta.
Debalde[155] o fez, que lhe golfeja o sangue
D'ampla ferida no sinistro[156] lado,
E ao pé da esposa o assassino surge
Co'o sangrento punhal na destra alçado.

A flor purpúrea que matiza o prado,
Se o vento da manhã lhe entorna o cálix,
Perde aroma talvez; porém mais belo
Colorido lhe vem do sol nos raios.
As fagueiras feições daquele rosto
Assim foram tão bem; não foi do tempo
Fatal o perpassar às faces lindas.

Nota-lhe ele as feições, nota-lhe os lábios,
Os curtos lábios que lhe deram vida,
Longa vida de amor em longos beijos,
Qual jamais não provou; e as iras todas
Dos zelos vingadores descansaram
No peito de sofrer cansado e cheio,
Cheio qual na praia fica a esponja,
Quando a vaga do mar passou sobre ela.

---

155 Em vão.
156 Esquerdo, onde fica o coração.

Num relance fugiu, minaz[157] no vulto:
Como o raio que luz[158] um breve instante,
Sobre a terra baixou, deixando a morte.

POESIAS DIVERSAS

A LEVIANA

Souvent femme varie,
Bien fol est qui s'y fie[159].
-- Francisco I

És engraçada[160] e formosa
    Como a rosa,
Como a rosa em mês d'Abril;
És como a nuvem doirada
    Deslizada,
Deslizada em céus d'anil.

Tu és vária e melindrosa,
    Qual formosa
Borboleta num jardim,
Que as flores todas afaga,
    E divaga
Em devaneio sem fim.

És pura, como uma estrela
    Doce e bela,
Que treme incerta no mar:
Mostras nos olhos tua alma
    Terna e calma,
Como a luz d'almo[161] luar.

---

157 Ameaçador.
158 Do verbo luzir.
159 A epígrafe refere-se ao louco que confia numa mulher leviana, volúvel. Francisco I foi rei da França (1515-1547). Poema possivelmente inspirado na grande paixão do poeta, Ana Amélia Ferreira do Vale.
160 Graciosa.
161 Puro, casto.

Tuas formas tão donosas[162],
    Tão airosas,
Formas da terra não são;
Pareces anjo formoso,
    Vaporoso,
Vindo da etérea[163] mansão.

Assim, beijar-te receio,
    Contra o seio
Eu tremo de te apertar:
Pois me parece que um beijo
    É sobejo[164]
Para o teu corpo quebrar.

Mas não digas que és só minha!
    Passa asinha[165]
A vida, como a ventura;
Que te[166] não vejam brincando,
    E folgando
Sobre a minha sepultura.

Tal os sepulcros colora
    Bela aurora
De fulgores radiante[167];
Tal a vaga mariposa
    Brinca e pousa
Dum cadáver no semblante.

A MINHA MUSA[168]

Gratia, Musa, tibi; nam tu solattia praebes.
-- Ovídio[169]

---

162 Galantes, graciosas.
163 Celestial.
164 Excessivo. Observar o temor do amor físico, a espiritualização da mulher e do amor.
165 Expressão antiga que significa rapidamente.
166 Colocação de pronome à portuguesa. A próclise vem antes da ênclise: apossínclise.
167 Comparação: assim como a aurora radiante colore o sepulcro de fulgores, a mariposa brinca e pousa no semblante do cadáver. O eu-lírico se vê melancolicamente associado ao cadáver e à sepultura, enquanto a amada leviana seria como a aurora e a mariposa.
168 De acordo com Beth Brait, o poema apresenta caráter metalinguístico, pois o tema dos versos é o próprio fazer poético, como o poeta o entende e o pratica. Nas estrofes iniciais (1 a 5), há a explicação, por meio da negação, dos elementos que não participam como fonte inspiradora de sua poesia. Verificam-se, ao longo do texto as notas predominantes do lirismo de Gonçalves Dias: solidão, silêncio, natureza, melancolia.
169 Ovídio, poeta romano que viveu em 43 a.C. a 17 d.C. A epígrafe, traduzida por Manuel Bandeira, expressa: Graças te sejam dadas, Musa; pois tu ofereces consolações.

Minha Musa não é como ninfa[170]
Que se eleva das águas — gentil —
Co'um sorriso nos lábios mimosos,
Com requebros, com ar senhoril.

Nem lhe pousa nas faces redondas
Dos fagueiros anelos[171] a cor;
Nesta terra não tem uma esp'rança,
Nesta terra não tem um amor.

Como fada de meigos encantos,
Não habita um palácio encantado,
Quer em meio de matas sombrias,
Quer à beira do mar levantado.

Não tem ela uma senda florida,
De perfumes, de flores bem cheia,
Onde vague com passos incertos,
Quando o céu de luzeiros se arreia[172].

Não é como a de Horácio[173] a minha Musa;
Nos soberbos alpendres dos Senhores
     Não é que ela reside;
Ao banquete do grande em lauta[174] mesa,
Onde gira o falerno[175] em taças d'oiro,
     Não é que ela preside.

Ela ama a solidão, ama o silêncio,
Ama o prado florido, a selva umbrosa[176]
     E da rola o carpir[177].
Ela ama a viração da tarde amena,
O sussurro das águas, os acentos
     De profundo sentir.

---

170 Figura mitológica, ente das águas, bosques e montes. Observar que Gonçalves Dias conhece os assuntos clássicos como a epígrafe revela; mas o poema vai opor o Romantismo ao Classicismo.
171 Desejos meigos agradáveis.
172 Enfeita-se.
173 Horácio foi poeta lírico romano que viveu entre 65 a.C. e 8 d.C. Observar a mudança na métrica e no número de versos.
174 Farta.
175 Metonímia: vinho bom, excelente.
176 Sombria.
177 O choro da rola.

D'Anacreonte[178] o gênio prazenteiro,
Que de flores cingia a fronte calva
      Em brilhante festim,
Tomando inspirações à doce amada,
Que leda[179] lh'enflorava a ebúrnea lira;
      De que me serve, a mim?

Canções que a turba nutre, inspira, exalta
Nas cordas magoadas me não pousam
      Da lira de marfim.
Correm meus dias, lacrimosos, tristes,
Como a noite que estende as negras asas
      Por céu negro e sem fim.

É triste a minha Musa, como é triste
O sincero verter d'amargo pranto
      D'órfã singela;
E triste como o som que a brisa espalha,
Que cicia nas folhas do arvoredo
      Por noite bela.

É triste como o som que o sino ao longe
Vai perder na extensão d'ameno prado
      Da tarde no cair,
Quando nasce o silêncio envolto em trevas,
Quando os astros derramam sobre a terra
      Merencório[180] luzir.

Ela então, sem destino, erra por vales,
Erra por altos montes, onde a enxada
      Fundo e fundo cavou;
E para; perto, jovial pastora
Cantando passa — e ela cisma ainda
      Depois que esta passou.

---

178 Anacreonte foi poeta grego que viveu no século VI a.C., autor de odes de cunho erótico, valorizando o prazer.
179 Alegre.
180 Melancólico.

Além — da choça[181] humilde s'ergue o fumo[182]
Que em risonha espiral se eleva às nuvens
    Da noite entre os vapores;
Muge solto o rebanho; e lento o passo,
Cantando em voz sonora, porém baixa,
    Vêm andando os pastores.

Outras vezes também, no cemitério,
Incerta volve o passo, soletrando
    Recordações da vida;
Roça o negro cipreste, calca o musgo,
Que o tempo fez brotar por entre as fendas
    Da pedra carcomida[183].

Então corre o meu pranto muito e muito
Sobre as úmidas cordas da minha Harpa,
    Que não ressoam;
Não choro os mortos, não; choro os meus dias
Tão sentidos, tão longos, tão amargos,
    Que em vão se escoam.

Nesse pobre cemitério
    Quem já me dera um lugar!
Esta vida mal vivida
    Quem já ma dera acabar!

Tenho inveja ao pegureiro[184],
    Da pastora invejo a vida,
Invejo o sono dos mortos
    Sob a laje carcomida.

Se qual pegão[185] tormentoso,
    O sopro da desventura
Vai bater potente à porta
    De sumida sepultura:

181 Cabana do pastor.
182 A fumaça.
183 Gasta, corroída.
184 Pastor.
185 Pé-de-vento.

Uma voz não lhe responde,
     Não lhe responde um gemido,
Não lhe responde uma prece,
     Um ai — do peito sentido.

Já não têm voz com que falem,
     Já não têm que padecer;
No passar da vida à morte
     Foi seu extremo sofrer.

Que lh'importa a desventura?
     Ela passou, qual gemido
Da brisa em meio da mata
     De verde alecrim florido.

Quem me dera ser como eles!
Quem me dera descansar!
Nesse pobre cemitério
Quem me dera o meu lugar,
E co'os sons das Harpas d'anjos
Da minha Harpa os sons casar!

DESEJO

E poi morir.
-- Metastásio[186]

Ah! que eu não morra sem provar, ao menos
Sequer por um instante, nesta vida
     Amor igual ao meu!
Dá, Senhor Deus, que eu sobre a terra encontre
Um anjo, uma mulher, uma obra tua,
     Que sinta o meu sentir;
Uma alma que me entenda, irmã da minha,
Que escute o meu silêncio, que me siga
     Dos ares na amplidão!
Que em laço estreito unidas, juntas, presas,

---

186 Poeta e dramaturgo italiano (1698 - 1782). A epígrafe diz: E depois morrer.

Deixando a terra e o lodo, aos céus remontem
Num êxtase de amor!

SEUS OLHOS[187]

Oh! rouvre tes grands yeux, dont la paupiére tremble,
Tes yeux pleins de langueur;
Leur regard est si beau quand nous sommes ensemble!
Rouvre-les; ce regard manque à ma vie, il semble
Que tu fermes ton coeur.
-- Turquety[188]

Seus olhos tão negros, tão belos, tão puros,
De vivo luzir,
Estrelas incertas, que as águas dormentes
Do mar vão ferir;

Seus olhos tão negros, tão belos, tão puros,
Têm meiga expressão,
Mais doce que a brisa — mais doce que o nauta
De noite cantando — mais doce que a frauta[189]
Quebrando a soidão[190].

Seus olhos tão negros, tão belos, tão puros,
De vivo luzir,
São meigos infantes, gentis, engraçados
Brincando a sorrir.

São meigos infantes, brincando, saltando
Em jogo infantil,
Inquietos, travessos; — causando tormento,
Com beijos nos pagam a dor de um momento,
Com modo gentil.

Seus olhos tão negros, tão belos, tão puros,
Assim é que são;

---

187 Este poema, inspirado na então menina Ana Amélia, arrancou de Alexandre Herculano seguinte elogio: "Uma das maiores composições líricas que tenho lido em mina vida".
188 A epígrafe do poeta francês, em tradução de Manuel Bandeira, diz: Oh! Torna a abrir os teus grandes olhos cheios de langor; é tão belo o olhar deles quando estamos juntos! Torna a abri-los; esse olhar faz falta à minha vida, parece que fechas teu coração.
189 Forma antiga de flauta. Nauta é o mesmo que marujo.
190 O mesmo que solidão.

Às vezes luzindo, serenos, tranquilos,
    Às vezes, vulcão!

Às vezes, oh! sim, derramam tão fraco,
    Tão frouxo brilhar,
Que a mim me parece que o ar lhes falece,
E os olhos tão meigos, que o pranto umedece
    Me fazem chorar.

Assim lindo infante, que dorme tranquilo,
    Desperta a chorar;
E mudo e sisudo[191], cismando mil coisas,
    Não pensa — a pensar.

Nas almas tão puras da virgem, do infante[192],
    Às vezes do céu
Cai doce harmonia duma Harpa celeste,
Um vago desejo; e a mente se veste
    De pranto co'um véu.

Quer sejam saudades, quer sejam desejos
    Da pátria melhor[193];
Eu amo seus olhos que choram sem causa
    Um pranto sem dor.

Eu amo seus olhos tão negros, tão puros,
    De vivo fulgor;
Seus olhos que exprimem tão doce harmonia,
Que falam de amores com tanta poesia.
    Com tanto pudor.

Seus olhos tão negros, tão belos, tão puros,
    Assim é que são;
Eu amo esses olhos que falam de amores
    Com tanta paixão.

---

191 Sério.
192 Menino.
193 O céu.

INOCÊNCIA

Sans nommer le nom qu'il faut bénir et taire.
-- S. Beuve[194]

Ó meu anjo, vem correndo,
    Vem tremendo
Lançar-te nos braços meus;
Vem depressa, que a lembrança
    Da tardança
Me aviva os rigores teus.

Do teu rosto, qual marfim,
    De carmim
Tinge um nada a cor mimosa;
É belo o pudor, mas choro,
    E deploro[195]
Que assim sejas medrosa.

Por inocente tens medo
    De tão cedo,
De tão cedo ter amor;
Mas sabe que a formosura
    Pouco dura,
Pouco dura, como a flor.

Corre a vida pressurosa,
    Como a rosa,
Como a rosa na corrente[196].
Amanhã terás amor?
    Como a flor,
Como a flor fenece a gente.

Hoje ainda és tu donzela
    Pura e bela,

---

194 Charles Augustin Saint-Beuve (1804 - 1869), poeta e crítico francês. A epígrafe diz: Sem nomear o nome, que é preciso abençoar e calar.
195 Lamento.
196 Entenda-se: na água, no rio.

Cheia de meigo pudor;
Amanhã menos ardente
De repente
Talvez sintas meu amor.

PEDIDO

Ontem no baile
Não me atendias!
Não me atendias,
Quando eu falava.

De mim bem longe
Teu pensamento!!
Teu pensamento,
Bem longe errava.

Eu vi teus olhos
Sobre outros olhos!
Sobre outros olhos,
Que eu odiava.

Tu lhe sorriste
Com tal sorriso!
Com tal sorriso,
Que apunhalava.

Tu lhe falaste
Com voz tão doce!
Com voz tão doce,
Que me matava.

Oh! não lhe fales,
Não lhe sorrias,
Se então só qu'rias
Exp'rimentar-me.

Oh! não lhe fales,
Não lhe sorrias,
Não lhe sorrias,
Que era matar-me[197].

O DESENGANO

Já vigílias passei namorado,
Doces horas d'insônia passei,
Já meus olhos, d'amor fascinado,
Em ver só meu amor empreguei.

Meu amor era puro, extremoso,
Era amor que meu peito sentia,
Eram lavas de um fogo teimoso,
Eram notas de meiga harmonia.

Harmonia era ouvir sua voz,
Era ver seu sorriso harmonia;
E os seus modos e gestos e ditos
Eram graças, perfume e magia.

E o que era o teu amor, que me embalava
Mais do que meigos sons de meiga lira?
Um dia o decifrou — não mais que um dia
          Fingimento e mentira!

Tão belo o nosso amor! — foi só de um dia,
          Como uma flor!
Por que tão cedo o talismã[198] quebraste
          Do nosso amor?

Por que num só instante assim partiste
          Essa anosa cadeia![199]
De bom grado a sofreste! essa lembrança
          Inda hoje me recreia.

---

197 Entenda-se: o eu lírico morreria se soubesse que a amada olhava para o outro.
198 O encantamento, o encanto.
199 Entenda-se: os laços que os prendiam eram velhos.

Quão insensato fui! — busquei firmeza.
Qual em ondas de areia movediça,
    Na mulher —, não achei!
E da esp'rança, que eu via tão donosa
Sorrir dentro em minha alma, as longas asas
    Doido e néscio[200] cortei!

E tu vás caprichosa prosseguindo
Essa esteira de amor, que julgas cheia
    De flores bem gentis;
Podes ir, que os meus olhos te não vejam;
Longe, longe de mim, mas que em minha alma
    Eu sinta qu'és feliz.

Podes ir, que é desfeito o nosso laço,
Podes ir, que o teu nome nos meus lábios
    Nunca mais soará!
Sim, vai; — mas este amor que me atormenta,
Que tão grato me foi, que me é tão duro,
    Comigo morrerá!

Tão belo o nosso amor! — foi só de um dia
    Como uma flor!
Oh! que bem cedo o talismã quebraste
    Do nosso amor!

MINHA VIDA E MEUS AMORES[201]

Mon Dieu, fais que je puisse aimer![202]

-- S. Beuve

Quando, no albor da vida, fascinado
Com tanta luz e brilho e pompa e galas,
Vi o mundo sorrir-me esperançoso:
— Meu Deus, disse entre mim, oh! quanto é doce.

---

200 Ignorante, o eu-lírico cortou as asas da esperança.
201 O poema é biográfico: reflete os três amores do poeta quando estudava em Portugal.
202 Meu Deus, faça com que eu possa amar.

Quanto é bela esta vida assim vivida! —
Agora, logo, aqui, além, notando
Uma pedra, uma flor, uma lindeza,
Um seixo da corrente, uma conchinha
    À beira-mar colhida!

Foi esta a infância minha; a juventude
Falou-me ao coração: — amemos, disse,
    Porque amar é viver.
E esta era linda, como é linda a aurora
No fresco da manhã tingindo as nuvens
    De rósea cor fagueira;
Aquela tinha um quê de anelos meigos
    Artífice sublime;
Feiticeiro sorrir dos lábios dela
Prendeu-me o coração; — julguei-o ao menos.

Aquela outra sorria tristemente,
Como um anjo no exílio, ou como o cálix
De flor pendida e murcha e já sem brilho.
Humilde flor tão bela e tão cheirosa,
No seu deserto perfumando os ventos.
— Eu morrera feliz, dizia eu d'alma,
Se pudesse enxertar uma esperança
Naquela alma tão pura e tão formosa,
E um alegre sorrir nos lábios dela.
A fugaz borboleta as flores todas
Elege, e liba[203] e uma e outra, e foge
Sempre em novos amores enlevada:
Neste meu paraíso fui como ela,
Inconstante vagando em mar de amores.

O amor sincero e fundo e firme e eterno,
Como o mar em bonança meigo e doce,
Do templo como a luz perene e santo,
Não, nunca o senti; — somente o viço
Tão forte dos meus anos, por amores

---

203 Libar: beber. Observar o polissíndeto, ou seja, a reiteração da conjunção aditiva *e*.

PRIMEIROS CANTOS

Tão fáceis quanto indi'nos[204] fui trocando.
Quanto fui louco, ó Deus! — Em vez do fruto
Sazonado[205] e maduro, que eu podia
Como em jardim colher, mordi no fruto
Pútrido e amargo e rebuçado em cinzas,
Como infante glutão[206], que se não senta
    À mesa de seus pais.

    Dá[207], meu Deus, que eu possa amar,
    Dá que eu sinta uma paixão,
    Torna-me virgem minha alma,
    E virgem meu coração.

Um dia, em qu'eu sentei-me junto dela,
Sua voz murmurou nos meus ouvidos,
— Eu te amo! — Ó anjo, que não possa eu crer-te!
Ela, certo, não é mulher que vive
Nas fezes[208] da desonra, em cujos lábios
Só mentira e traição eterna habitam.
Tem uma alma inocente, um rosto belo,
E amor nos olhos... — mas não posso crê-la.

    Dá, meu Deus, que eu possa amar,
    Dá que eu sinta uma paixão;
    Torna-me virgem minha alma,
    E virgem meu coração.

Outra vez que lá fui, que a vi, que a medo
Terna voz lhe escutei: — Sonhei contigo! —
Inefável[209] prazer banhou meu peito,
Senti delícias; mas a sós comigo
Pensei — talvez! — e já não pude crê-la.
Ela tão meiga e tão cheia de encantos,
Ela tão nova, tão pura e tão bela...
    Amar-me! — Eu que sou?

---

204 Indignos. O g foi suprimido por questão de métrica.
205 Amadurecido. Pronto para ser colhido.
206 Guloso, comilão.
207 Permita.
208 Despojos, resíduos, borra.
209 Indescritível.

Meus olhos enxergam, enquanto duvida
Minha alma sem crença, de força exaurida,

    Já farta da vida,
    Que amor não doirou.

    Mau grado[210] meu, crer não posso,
    Mau grado meu que assim é;
    Queres ligar-te comigo
    Sem no amor ter crença e fé?

    Antes vai colar teu rosto,
    Colar teu seio nevado
    Contra o rosto mudo e frio,
    Contra o seio dum finado.

    Ou suplica a Deus comigo
    Que me dê uma paixão;
    Que me dê crença à minha alma,
    E vida ao meu coração.

RECORDAÇÃO[211]

> *Nessun maggior dolore...*
> -- Dante[212]

Quando em meu peito as aflições rebentam
Eivadas[213] de sofrer acerbo e duro;
Quando a desgraça o coração me arrocha
Em círculos de ferro, com tal força,
Que dele o sangue em borbotões golfeja;
Quando minha alma de sofrer cansada,
Bem que afeita a sofrer, sequer não pode
Clamar: Senhor piedade; — e que os meus olhos

---

210 De má vontade.
211 Poema com estrofação irregular e com o predomínio de versos brancos. As rimas, quando ocorrem, são toantes, isto é, apenas as vogais tônicas são iguais.
212 Dante Alighieri (1265 - 1321), poeta italiano, autor de *A Divina Comédia*. A epígrafe expressa: não há dor maior...
213 Eivar: contaminar.

Rebeldes, uma lágrima não vertem
Do mar d'angústias que meu peito oprime:

Volvo aos instantes de ventura, e penso
Que a sós contigo, em prática serena,
Melhor futuro me augurava, as doces
Palavras tuas, sôfregos[214], atentos
Sorvendo meus ouvidos —, nos teus olhos
Lendo os meus olhos tanto amor, que a vida
Longa, bem longa, não bastara ainda
Porque de os ver me saciasse!... O pranto
Então dos olhos meus corre espontâneo,
Que não mais te verei. — Em tal pensando
De martírios calar sinto em meu peito
Tão grande plenitude, que a minha alma
Sente amargo prazer de quanto sofre.

TRISTEZA[215]

Que leda noite! — Este ar embalsamado,
Este silêncio harmônico da terra
Que sereno prazer n'alma cansada
Não espreme, não filtra, não difunde?
A brisa lá sussurra na folhagem
D'espessas matas, d'árvores robustas,
Que velam sempre e sós, que a Deus elevam
Misterioso coro, que do Bardo[216]
A crença quase morta inda alimenta.
É esta a hora mágica de encantos,
Hora d'inspirações dos céus descidas,
Que em delírio de amor aos céus remontam.

Aqui da vida as lástimas infindas,
Do mirrado egoísmo a voz ruidosa
Não chegam; nem soluços, risos, festas,

---

214 Ávidos, sequiosos, impacientes.
215 Outro poema de estrofes irregulares e versos brancos.
216 Poeta.

— Hilaridade vã de turba incauta[217],
Néscia de ruim futuro; ou queixa amarga
De decrépito velho, enfermo, exangue,
Nem do mancebo os ais doídos, preso
Ao leito do sofrer na flor da vida.

Aqui reina o silêncio, o religioso,
Morno sossego, que povoa as ruínas,
E o mausoléu[218] soberbo, carcomido,
E o templo majestoso, em cuja nave
Suspira ainda a nota maviosa,
O derradeiro arfar d'órgão solene.
 Em puro céu a lua resplandece,
Melancólica e pura, semelhando
Gentil viúva que pranteia o extinto,
O belo esposo amado, e vem de noite,
Vivendo pelo amor, mau grado a morte,
Ferventes orações chorar sobre ele.

Eu amo o céu assim, sem uma estrela,
Azul sem mancha —, a lua equilibrada
Num céu de nuvens, e o frescor da tarde,
E o silêncio da noite adormecida,
Que imagens vagas de prazer desenha.

Amo tudo o que dá no peito e n'alma
Tréguas ao recordar, tréguas ao pranto,
À v'emência da dor, à pertinácia[219]
Tenaz e acerba de cruéis lembranças;
Amo estar só com Deus, porque nos homens
Achar não pude amor, nem pude ao menos
Sinal de compaixão achar entre eles.

Menti — um[220] inda achei; mas este em ócio
Feliz descansa agora, enquanto aos ventos

---

217 Comicidade fútil do povo descuidado.
218 Túmulo suntuoso.
219 Veemência: intensidade, vivacidade. Pertinácia: persistência.
220 Refere-se a sinal.

E ao cru furor das verde-negras ondas
Da minha vida a barca aventureira
Insano confiei; em céu diverso
Luzem com luz diversa estrelas d'ambos.
Ai! triste, que houve tempo em que eu julgava
As duas uma só —, c'o mesmo brilho
Uma e outra nos céus meigas brilhavam!
Hoje cintila a dele, enquanto a minha
Entre nuvens, sem luz, se perde agora.
Meu Deus, foi bom assim! No imenso pego[221]
Mais uma gota d'amargor que importa?
Que importa o fel na taça do absinto[222],
Ou uma dor de mais onde outras reinam?

O TROVADOR

> Ele cantava tudo o que merece de ser cantado;
> o que há na terra de grande e de santo — o amor e a virtude.

Numa terra antigamente
  Existia um Trovador;
Na Lira sua inocente
  Só cantava o seu amor.

Nenhum sarau[223] se acabava
  Sem a Lira de marfim,
Pois cantar tão alto e doce
  Nunca alguém ouvira assim.

E quer donzela, quer dona,
  Que sentira comoção
Pular-lhe n'alma, escutando
  Do Trovador a canção;

De jasmins e de açucenas
  A fronte sua adornou;

---

221 Mar.
222 Bebida muito amarga.
223 Reunião literária.

Mas só a rosa da amada
    Na Lira amante poisou.

E o Trovador conheceu
    Que era traído — por fim;
Pôs-se a andar, e só se ouvia
    Nos seus lábios: ai de mim!

Enlutou de negro fumo
    A rosa de seu amor,
Que meia oculta se via
    Na gorra[224] do Trovador;

Como virgem bela, morta
    Da idade na linda flor[225],
Que parece, o dó trajando[226],
    Inda sorrir-se de amor.

No meio do seu caminho
    Gentil donzela encontrou:
Canta — disse; e as cordas d'oiro
    Vibrando, o triste cantou.

"Teu rosto engraçado e belo
    Tem a lindeza da flor;
Mas é risonho o teu rosto:
    Não tens de sentir amor!

"Mas tão bem por esse dia
    Que viverás, como a flor,
Mimosa, engraçada e bela,
    Não tens de sentir amor!

"Oh! não queiras, por Deus, homem que tenha
Tingida a larga testa de palor[227];

---

224 Barete, carapuça.
225 Na linda flor da idade, isto é, jovem.
226 Entenda-se: cobrindo de tristeza, de luto.
227 Palidez. Observar a variação métrica: os versos decassílabos substituem a redondilha maior, presente no refrão da canção.

PRIMEIROS CANTOS

Sente fundo a paixão —, e tu no mundo
Não tens de sentir amor!

"Sorriso jovial te enfeita os lábios,
Nas faces de jasmim tens rósea cor;
Fundo amor não se ri, não é corado...
Não tens de sentir amor;

"Mas se queres amar, eu te aconselho,
Que não guerreiro, escolhe um trovador,
Que não tem um punhal, quando é traído,
Que vingue o seu amor."

Do Trovador pelo rosto
Torva raiva se espalhou,
E a Lira sua, tremendo,
Sem cordas d'oiro ficou.

Mais além no seu caminho
Donzel garboso[228] encontrou:
Canta — disse: e argênteas[229] cordas
Pulsando, o triste cantou.

"Aos homens da mulher enganam sempre
O sorriso, o amor[230];
É este breve, como é breve aquele
Sorriso enganador.

Teu peito por amor, Donzel, suspira,
Que é de jovens amar a formosura;
Mas sabe que a mulher, que amor te jura,
Dos lindos lábios seus cospe a mentira!

Já frenético[231] amor cantei na lira,
Delícias já sorvi num seu sorriso,

---

228 Mancebo, jovem elegante, gracioso.
229 Prateadas.
230 Hipérbato: o sorriso e o amor da mulher enganam sempre aos homens.
231 Delirante, arrebatado, exaltado.

Já venturas fruí do paraíso,
Em terna voz de amor, que era mentira!

"O amor é como a aragem que murmura
Da tarde no cair — pela folhagem;
Não volta o mesmo amor à formosura
Bem como nunca volta a mesma aragem.

Não queiras amar, não; pois que a'sperança
Se arroja além do amor por largo espaço.
Tens, brilhando ao sol, a forte lança,
Tens longa espada cintilante d'aço.

Tens a fina armadura de Milão,
Tens luzente e brilhante capacete,
Tens adaga[232] e punhal e bracelete
E, qual lúcido espelho, o morrião[233].
Tens fogoso corcel todo arreiado,
Que mais veloz que os ventos sorve a terra;
Tens duelos, tens justas[234], tens torneios,
Que os fracos corações de medo cerra;
Tens pajens, tens varletes[235] e escudeiros
E a marcha afoita, apercebida em guerra
Do luzido esquadrão de mil guerreiros.

Oh! não queiras amar! — Como entre a neve
O gigante vulcão borbulha e ferve
E sulfúrea[236] chama pelos ares lança,
Que após o seu cair torna-se fria;
Assim tu acharás petrificada,
Bem como a lava ardente do vulcão,
A lava que teu peito consumia
No peito da mulher — ou cinza ou nada —
Não frio, mas gelado o coração!"

---

232 Arma branca, mais larga e maior do que o punhal.
233 Antigo capacete sem viseira e com tope enfeitado. Observar os elementos medievais ao longo do texto.
234 Disputas comuns na Idade Média.
235 Lacaios, criados, servidores.
236 Sulfurosa, da natureza do enxofre. Observar que, para este verso ser lido como decassílabo, deve-se ligar a primeira sílaba (e) ao final do verso anterior.

E o Trovador despeitoso
     De prata as cordas quebrou[237],
E nas de chumbo seu fado[238]
     A lastimar começou.

"Que triste que é neste mundo
     O fado dum Trovador!
Que triste que é! — bem que tenha[239],
     Sua Lira e seu amor.

"Quando em festejos descanta[240],
     Rasgado o peito com dor,
Mimoso tem de cantar
     Na sua Lira — o amor!

"Como a um servo vil ordena
     Um orgulhoso Senhor,
Canta, diz-lhe; quero ouvir-te:
     Quero descantes[241] de amor!

"Diz-lhe o guerreiro, que apenas
     Lidou em justas de amor:
— Minha dama quer ouvir-te,
     Canta, truão[242] trovador! —

Manda a mulher que nos deixa
     De beijos murchada flor:
— Canta, truão, quero ouvir-te,
     Um terno canto de amor!

Mas se a mulher, que ele adora
     Atraiçoa o seu amor;
Embalde busca a seu lado
     Um punhal — o Trovador!

---

237 Quebrou as cordas de prata.
238 Destino.
239 Se bem que tenha. Ideia se concessão.
240 Cantar ao som de um instrumento.
241 Cantigas.
242 Palhaço.

Se escuta palavras dela —,
    Que a outros juram amor;
Embalde busca a seu lado
    Um punhal — o Trovador!

Se vê luzir de alguns lábios
    Um sorriso mofador[243];
Embalde busca a seu lado
    Um punhal — o Trovador!

Que triste que é neste mundo
    O fado dum Trovador!
Pesar lhe dá sua Lira,
    Dá-lhe pesar seu amor!"

E o Trovador neste ponto
    A corda extrema arrancou;
E num marco do caminho
    A Lira sua quebrou:
Ninguém mais a voz sentida
    Do Trovador escutou!

AMOR! DELÍRIO - ENGANO

Y el llanto que en su cólera derrama,
La hoguera apaga del antiguo amor!
            -- Zorrilla[244]

Amor! delírio — engano... Sobre a terra
Amor tão bem fruí; a vida inteira
Concentrei num só ponto — amá-la, e sempre.
Amei! — dedicação, ternura, extremos
Cismou meu coração, cismou minha alma,
— Minha alma que na taça da ventura
Vida breve d'amor sorveu gostosa.
Eu e ela, ambos nós, na terra ingrata
Oásis, paraíso, éden ou templo

---

243 De deboche.
244 José Zorrilla (1817-1893), romântico espanhol, autor de *Los cantos del trovador*. A epígrafe diz que o pranto em sua cólera derrama, apaga a fogueira do antigo amor.

Habitamos uma hora; e logo o tempo
Com a foice roaz[245] quebrou-lhe o encanto,
Doce encanto que o amor nos fabricara.

E eu sempre a via!... quer nas nuvens d'oiro
Quando ia o sol nas vagas[246] sepultar-se,
Ou quer na branca nuvem que velava —
O círculo da lua —, quer no manto
D'alvacenta[247] neblina que baixava
Sobre as folhas do bosque, muda e grave,
Da tarde no cair; nos céus, na terra,
A ela, a ela só, viam meus olhos.

Seu nome, sua voz — ouvia eu sempre;
Ouvia-os no gemer da parda rola,
No trépido correr da veia argêntea[248],
No respirar da brisa, no sussurro
Do arvoredo frondoso, na harmonia
Dos astros inefável[249]; — o seu nome!
Nos fugitivos sons de alguma frauta,
Que da noite o silêncio realçavam,
Os ares e a amplidão divinizando,
Ouviam meus ouvidos; e de ouvi-lo
Arfava de prazer meu peito ardente.

Ah! quantas vezes, quantas! junto dela
Não senti sua mão tremer na minha;
Não lhe escutei um lânguido[250] suspiro,
Que vinha lá do peito à flor dos lábios
Deslizar-se e morrer?! Dos seus cabelos
A mágica fragrância respirando,
Escutando-lhe a voz doce e pausada,
Mil venturas colhi dos lábios dela,
Que instantes de prazer me futuravam[251].

---

245 Roaz: que rói.
246 Ondas.
247 Muito alva.
248 Entenda-se: o regato que treme, com suas águas prateadas.
249 A harmonia inefável dos astros.
250 Fraco.
251 Prediziam, prognosticavam.

Cada sorriso seu era uma esp'rança,
E cada esp'rança enlouquecer de amores.
E eu amei tanto! — Oh! não! não hão de os homens
Saber que amor, à ingrata, havia eu dado;
Que afetos melindrosos[252], que em meu peito
Tinha eu guardado para ornar-lhe a fronte!
Oh! — não —, morra comigo o meu segredo;
Rebelde o coração murmure embora.

Que[253] de vezes, pensando a sós comigo,
Não disse eu entre mim: — Anjo formoso,
Da minha vida que farei, se acaso
Faltar-me o teu amor um só instante;
— Eu que só vivo por te amar, que apenas
O que sinto por ti a custo exprimo?
No mundo que farei, como estrangeiro
Pelas vagas cruéis à praia inóspita[254]
Exânime[255] arrojado? — Eu, que isto disse,
Existo e penso — e não morri —, não morro
Do que outrora senti, do que ora sinto
De pensar nela, de a rever em sonhos,
Do que fui, do que sou e ser podia!
Existo; e ela de mim jaz esquecida!
Esquecida talvez de amor tamanho,
Derramando talvez noutros ouvidos
Frases doces de amor, que dos seus lábios
Tantas vezes ouvi, — que tantas vezes
Em êxtase divino aos céus me alçaram,
— Que dando à terra ingrata o que era terra
Minha alma além das nuvens transportaram.
Existo! Como outrora, no meu peito
Férvido o coração pular sentindo,
Todo o fogo da vida derramando
Em queixas mulheris[256], em moles versos.

---

252 Delicados, sensíveis.
253 Quantas.
254 Em que não se pode viver.
255 Sem ânimo.
256 Mulheril: relativo a mulher.

E ela!... ela talvez nos braços doutrem[257]
Com sua vida alimenta uma outra vida,
Com o seu coração o de outro amante,
Que mais feliz do que eu, inferno! a goza.
Ela, que eu respeitei, que eu venerava
Como a relíquia santa! — a quem meus olhos,
Receando ofendê-la, tantas vezes
De castos e de humildes se abaixaram!
Ela, perante quem sentia eu presa
A voz nos lábios e a paixão no peito!
Ela, ídolo meu, a quem o orgulho,
A força d'homem, o sentir, vontade
Própria e minha dediquei —, sujeita
À voz de alguém que não sou eu —, desperta,
Talvez no instante em que de mim se lembra,
Por um ósculo[258] frio, por carícias
Devidas dum esposo!...
                              Oh! não poder-te,
Abutre roedor, cruel ciúme,
Tua funda raiz e a imagem dela
No peito em sangue espedaçar raivoso!

Mas tu, cruel, que és meu rival, numa hora,
Em que ela só julgar-se, hás de escutar-lhe
Um quebrado suspiro do imo[259] peito,
Que d'eras já passadas se recorda.
Hás de escutá-lo, e ver-lhe a cor do rosto
Enrubescer-se ao deparar contigo!
Presa serás também d'atros[260] cuidados,
Terás ciúme, e sofrerás qual sofro:
Nem menor que o meu mal quero a vingança.

DELÍRIO

Quando dormimos o nosso espírito vela.
                                    -- Ésquilo[261]

---

257 De outro.
258 Beijo.
259 Expressão antiga: íntimo.
260 Atro: escuro, tenebroso.
261 Poeta e trágico grego (525 a.C. - 456 a.C.), autor de *Prometeu acorrentado* e *As suplicantes*.

À noite quando durmo, esclarecendo
　　As trevas do meu sono,
Uma etérea visão vem assentar-se
　　Junto ao meu leito aflito!
Anjo ou mulher? não sei. — Ah! se não fosse
　　Um qual véu transparente,
Como que a alma pura ali se pinta
　　Ao través[262] do semblante,
Eu a crera mulher... — E tentas, louco,
　　Recordar o passado,
Transformando o prazer, que desfrutaste,
　　Em lentas agonias?!

Visão, fatal visão, por que derramas
　　Sobre o meu rosto pálido
A luz de um longo olhar, que amor exprime
　　E pede compaixão?
Por que teu coração exala uns fundos,
　　Magoados suspiros,
Que eu não escuto, mas que vejo e sinto
　　Nos teus lábios morrer?
Por que esse gesto e mórbida postura
　　De macerado[263] espírito,
Que vive entre aflições, que já nem sabe
　　Desfrutar um prazer?

Tu falas! tu que dizes? este acento,
　　Esta voz melindrosa,
Noutros tempos ouvi, porém mais leda;
　　Era um hino d'amor.
A voz, que escuto, é magoada e triste,
　　— Harmonia celeste,
Que à noite vem nas asas do silêncio
　　Umedecer as faces
Do que enxerga outra vida além das nuvens.
　　Esta voz não é sua;

262　De esguelha, de soslaio.
263　Mortificado.

É acorde talvez d'harpa celeste,
  Caído sobre a terra!

Balbucias uns sons, que eu mal percebo,
  Doridos[264], compassados,
Fracos, mais fracos; — lágrimas despontam
  Nos teus olhos brilhantes...
Choras! tu choras!... Para mim teus braços
  Por força irresistível
Estendem-se, procuram-me; procuro-te
  Em delírio afanoso[265].
Fatídico[266] poder entre nós ambos
  Ergueu alta barreira;
Ele te enlaça e prende... mal resistes...
  Cedes enfim... acordo!

Acordo do meu sonho tormentoso,
  E choro o meu sonhar!
E fecho os olhos, e de novo intento
  O sonho reatar.
Embalde! porque a vida me tem preso;
  E eu sou escravo seu!
Acordado ou dormindo, é triste a vida
  Desque[267] o amor se perdeu.
Há contudo prazer em nos lembrarmos
  Da passada ventura,
Como o que educa[268] flores vicejantes
  Em triste sepultura.

EPICÉDIO[269]

Passa la bella donna e par che dorma.
-- Tasso[270]

---

264 Sofridos, dolorosos.
265 Trabalhoso, laborioso.
266 Sinistro, trágico.
267 Desde que.
268 Cultiva.
269 Canto fúnebre, variante da elegia.
270 Torquato Tasso (1544 - 1595), poeta italiano, autor de Jerusalém libertada. A epígrafe refere-se à morte de uma bela senhora.

Seu rosto pálido e belo
Já não tem vida nem cor!
Sobre ele a morte descansa,
Envolta em baço palor[271].

Cerraram-se olhos tão puros,
Que tinham tanto fulgor;
Coração que tanto amava
Já hoje não sente amor;

Que o anjo belo da morte
A par desse anjo baixou!
Trocaram brandas palavras,
Que Deus somente escutou.

Ventura, prazer, ledice[272]
Duma outra vida contou;
E o anjo puro da terra
Prazer da terra enjeitou[273].

Depois co'as asas candentes[274]
O formoso anjo do céu
Roçou-lhe a face mimosa,
Cobriu-lhe o rosto co'um véu.

Depois o corpo engraçado
Deixou à terra sem vida,
De tênue palor coberto,
— Verniz de estátua esquecida.

E bela assim, como um lírio
Murcho da sesta ao ardor[275],
Teve a inocência dos anjos,
Tendo o viver duma flor.

Foi breve! — mas a desgraça
A testa não lhe enrugou,

---

271 Palidez embaciada, sem brilho.
272 Alegria, felicidade.
273 Recusou.
274 Ardorosas, arrebatadas.
275 Ao ardor da sesta, da hora quente do dia.

E aos pés do Deus que a criara
Alma inda virgem levou.

Sai da larva a borboleta,
Sai da rocha o diamante,
De um cadáver mudo e frio
Sai uma alma radiante.

Não choremos essa morte,
Não choremos casos tais;
Quando a terra perde um justo,
Conta um anjo o céu de mais[276].

SOFRIMENTO

Meu Deus, Senhor meu Deus, o que há no mundo
　　　Que não seja sofrer?
O homem nasce, e vive um só instante,
　　　E sofre até morrer!

A flor ao menos, nesse breve espaço
　　　Do seu doce viver,
Encanta os ares com celeste aroma,
　　　Querida até morrer.

É breve o romper d'alva, mas ao menos
　　　Traz consigo prazer;
E o homem nasce e vive um só instante:
　　　E sofre até morrer!

Meu peito de gemer já está cansado,
　　　Meus olhos de chorar;
E eu sofro ainda, e já não posso alívio
　　　Sequer no pranto achar!

Já farto de viver, em meia vida,
　　　Quebrado pela dor,

---

276 O céu conta de mais um anjo.

Meus anos hei passado, uns após outros,
Sem paz e sem amor.

O amor que eu tanto amava do imo peito,
Que nunca pude achar,
Que embalde procurei, na flor, na planta,
No prado, e terra, e mar!

E agora o que sou eu? — Pálido espectro,
Que da campa[277] fugiu;
Flor ceifada em botão; imagem triste
De um ente que existiu...

Não escutes, meu Deus, esta blasfêmia;
Perdão, Senhor, perdão!
Minha alma sinto ainda —, sinto, escuto
Bater-me o coração.

Quando roja[278] meu corpo sobre a terra,
Quando me aflige a dor,
Minha alma aos céus se eleva, como o incenso,
Como o aroma da flor.

E eu bendigo o teu nome eterno e santo,
Bendigo a minha dor,
Que vai além da terra aos céus infindos
Prender-me ao criador.

Bendigo o nome teu, que uma outra vida
Me fez descortinar,
Uma outra vida, onde não há só trevas,
E nem há só penar.

---

277 Sepultura. Observar que o poema apresenta aspectos que antecipam a chamada geração
ultrarromântica, a do mal do século, marcada pela influência de Lorde Byron. A religiosidade, no entanto,
impede a dúvida ou o ceticismo byroniano.
278 Arrasta.

VISÕES[279]

I - PRODÍGIO

Naquele instante em que vacila a mente
Do sono ao despertar, quando pejada[280]
Vem doutros mundos de visões etéreas;
Quando sobre a manhã surge brilhante
A luz da madrugada — eu vi!... nem sonhos
Era a minha visão, real não era;
Mas tinha d'ambos o talvez. — Quem sabe?
Foi capricho falaz[281] da fantasia,
Ou foi certo aventar[282] d'eras venturas?

A ira do Senhor baixou tremenda
Sobre uma vasta capital![283] — em pedra
Tornou-se a gente impura. Muitos homens
Às portas férreas, largas, vi sentados.
Melhor do que um pintor ou statuário[284]
A morte, que de súbito os colhera
No ardor, no afã da vida, conservou-lhes
A ação — partida em meio, com tal força,
Que a mente seu malgrado a completava.

Um tinha os lábios entreabertos; outro
Parecia sorrir; mais longe aquele
Derramava um segredo, baixo, a medo,
Nos ouvidos do amigo; austero o guarda
Com rosto carregado e barba hirsuta[285],
Nas mãos calosas sopesava[286] a lança.
Dos mercadores na comprida rua
Passavam muitos compradores; — este

---

279 Longo poema dividido em cinco partes, evidenciando o exotismo de influência oriental, a imaginação
sombria e tons bíblicos.
280 Cheia, carregada.
281 Enganador.
282 Insinuar, sugerir.
283 Imagens inspiradas ou no episódio bíblico da destruição de Sodoma e Gomorra, ou na catástrofe de
Pompeia, destruída pelo vulcão.
284 Estatuário, escultor.
285 De pelos longos, duros e espessos.
286 Aguentava o peso, erguia.

Contava montes d'oiro; — à luz aquele
Expunha a seda do Indostão, de Tiro
A púrpura brilhante, a damasquina[287]
Custosa[288] tela entretecida d'oiro.

Cortês sorrindo, o mercador gabava
As cores vivas, o tecido, o corpo
Do estofo[289] que vendia. Nos serralhos[290]
Era o Eunuco imperfeito; das Mesquitas
Bradava à prece o Muezim...[291]
                              — Num largo,
Fofo e vasto divã sentado, um velho
Os versos lia do Alcorão[292]; — só ele
Dentre tanto punir ficara ileso.

II - A CRUZ

Era um templo d'arábica strutura,
Majestosa, elegante; — além das nuvens
Se entranhava nos céus sutil a agulha[293];
Sobre o zimbório[294] retumbante e vasto
Ondas e ondas de vapor cresciam.
Dentro corriam três compridas naves[295]
Sobre dois renques[296] de colunas, onde
Baixos-relevos da sagrada história
Da base ao capitel[297] se emaranhavam.
Ardia a luz na alâmpada[298] sagrada;
No sagrado instrumento[299] o som dormia.

---

287 Termo relativo a Damasco, da Síria.
288 Valiosa.
289 Tecido.
290 Palácios dos Sultões.
291 Mouro que anuncia, em voz alta, a hora da prece.
292 Livro sagrado do islamismo.
293 Aqui, a parte mais elevada do templo oriental.
294 Cúpula, parte superior do edifício.
295 Nave: espaço interior do templo.
296 Fileiras, alinhamentos.
297 Arremate superior, em geral esculturado, de pilastra, balaústre, etc.
298 Lâmpada.
299 Isto é, o órgão. O descritivismo do poema e a exploração de vocábulos associados à arquitetura demonstram o senso da forma, certa objetividade que, mais tarde, seria a marca registrada da poesia parnasiana.

PRIMEIROS CANTOS

Junto à cruz — da fachada egrégia[300] pompa —
Muitos homens eu vi de torvo aspecto;
Muitos outros, servis, com mão armada
Profundos golpes entalhavam nela.
Um daqueles no entanto assim falava:
"Quando esta humilde cruz rojar por terra,
Levando a crença de Jesus consigo,
Nós outros, da verdade Sacerdotes,
Nós Doutores do mundo, nós Luzeiros
Que desvendamos a impostura, o erro,
A mentira sagaz[301], a crença louca,
Entrada fácil da razão no templo
Teremos todos, e de então no trono,
Do néscio vulgo imparciais sob'ranos[302],
Santos juízes da verdade santa,
Pregaremos o justo, a paz, concórdia[303]
E os seus deveres que dimanam[304] fáceis
Do amor do lucro e do interesse; todos
— Vassalos da razão, nossos vassalos —
Um éden terreal farão do mundo."

No entanto aos crebros[305] golpes do machado
A cruz pendia oblíqua sobre a terra.
Criando novas forças com tal vista,
Os operários mais frequentes golpes
Repetem, vibram, continuam; — soa
Por toda a parte o eco —, o som, mais longe,
Retumba, morre — e novamente ecoa.
Nisto a cruz — geme — estrala; um grito sobe
Uníssono e geral!...
                          Como sois grande,
Senhor, Senhor meu Deus! — Eu vi, morrendo,
Os obreiros cair; e a cruz erguer-se,
Como aos raios do sol a flor mimosa
Que a raiva do tufão vergara insana[306].

---

300 Nobre, distinta. Entenda-se: a cruz é a pompa nobre da fachada do templo.
301 Astuta.
302 Soberanos.
303 Harmonia de opiniões.
304 Derivam, brotam.
305 Repetidos.
306 O desfecho desse episódio evidencia o maravilhoso cristão, a cruz que resiste à fúria dos monstros.

III - PASSAMENTO

Era um quarto espaçoso; — ali se viam
Rojar no pavimento, há pouco, as sedas,
Ricos tapetes multicor bordados,
E franjas complicadas dum céu d'oiro
Pendentes —, vastos rases[307] narradores
De lenda pia ou de briosos feitos.
Mas de tanto luzir, de tanto ornato
Ora por mãos avaras depredado
O vasto d'área revelava aos olhos,
Tendo num canto escuro um leito apenas.
Do leito alguém rasgara o cortinado.
E da curva armação polida e bela
Aqui, ali, pendia a seda em fios,
Bem como tranças de mulher formosa
Por sobre o seio nu. — Ali no leito
Jazia um moribundo[308]; em torno os olhos
Cheios de pasmo e de terror volvia,
Bebendo pelos sôfregos ouvidos
Mal sentido rumor doutro aposento.
Confusas vozes, altercar[309] ruidoso,
E o tinir de metal ouvia apenas!
Então por vezes três no leito aflito
Erguer-se maquinou de raiva insano!
Por três vezes caiu, gemendo, sobre
O leito que da queda se sentia[310].

Da morte o cru torpor nos membros frios
Pouco e pouco s'espalha; mas teimoso
Da vida o amor debate-se nas ânsias
Desse passo fatal...

      — Eis nisto à porta
Um Padre assoma[311] —, dentre as mãos erguidas
Da hóstia santa resplendor luzia;

---

307 Plural de rás, o mesmo que arrás, panos que traziam cenas mitológicas.
308 Que está morrendo.
309 Discussão.
310 A repetição de *três vezes* encontra-se também em Basílio da Gama, no episódio da morte de Lindóia, n'O Uruguai.
311 Aparece.

E palavras de paz, de amor, divinas,
Que nos lábios do justo Deus entorna,
Abundantes soltava[312]. Longos anos
De piedoso sofrer o corpo enfermo
Alquebraram por fim: as cãs[313] nevadas
Raras tremiam sobre a testa, como
Tremia na garganta a voz cansada.

Dizia o bom do velho: — "Irmão, nas ânsias,
No extremo agonizar da morte amiga
Ergue os olhos ao céu; — do céu te venha
Esse divino amor, que só lá mora,
Que filtra por nossa alma, que nos deixa
Mais celeste prazer, mais doce arroubo[314],
Do que a terra sói[315] dar...
      Infames, tredos[316],
Bufarinheiros[317] de palavras, corvos
De negro, feio agoiro, que esvoaçam
Com grito grasnador por sobre o campo,
Onde a peleja de reinar começa;
Dizes-me *tu* — a mim! a mim que ao foro
Caminho inda hoje entre alas de clientes,
Que só me visto de veludo e d'oiro,
Enquanto vives de burel[318] coberto,
Co'os lábios sobre o pó mordendo a terra!
Dizes-me *tu* mim!..."
      Ergueu-se, o corpo
Caiu de fraco sobre o leito; o velho
No entanto humilde orava, que alma santa
Do mal cabido insulto não se ofende.

Jeová, que entre miríades[319]
Vives de estrelas formosas,

---

312 Entenda-se que o padre soltava as abundantes palavras de paz, de amor, divinas, que Deus entorna nos lábios do justo.
313 Os cabelos nevados.
314 Êxtase.
315 Do verbo soer: costumar, ser frequente.
316 Traiçoeiros.
317 Vendedores de bufarinhas, objetos pouco valiosos vendidos por ambulantes. Espécie de camelôs.
318 Estofo grosseiro, de lã, usado por frades.
319 Quantidade indeterminada.

Que das flores melindrosas
Da terra — os anjos formaste;
Jeová, que pela água
Lustrar quiseste o Messias,
Que ao beato, ao santo Elias
Nas chamas purificaste;
Jeová, que a mente apuras
No fogo do sofrimento,
Que divino alto portento[320]
Deste fazer a Moisés,
Quando a negra rocha dura
Tocando co'a tênue vara,
Rebentou a linfa clara.
Lambendo-lhe mansa os pés[321];

Jeová, que eterno existes,
Cujo ser em si se encerra,
Que formaste o céu e a terra,
Que te chamas — o que é[322],
— Faz, Senhor d'altos prodígios,
Com que a mente empedernida[323]
Não se aparte desta vida
Sem sentir a santa fé.
E tu, Cristo, que sofreste
Martírios por nosso amor,
Tu que foste o Salvador,
Salva-o, Senhor, por quem és.
Dá que em palavras piedosas
Se derrame contristado[324],
Como o rochedo tocado
Pela vara de Moisés.

E o confuso rumor do outro aposento
Crescia mais e mais. — Do moribundo
Os cúpidos[325] herdeiros dividiam

---

320 Poder, prodígio.
321 Referências bíblicas ao profeta Elias e o fogo, bem como a Moisés e à vara milagrosa que fez brotar água da pedra.
322 Em latim: *ego sum qui sum*, isto é, eu sou o que sou.
323 Petrificada, ou seja, insensível à voz de Deus.
324 Entristecido, afligido.
325 Ambiciosos.

Por si a vasta herança; os torvos olhos
Iam de rosto a rosto, fuzilando
    Ameaças de morte.

No entanto o velho exânime e sem forças
Curtia amargos transes, que avarento,
E tendo a vida inútil presa à Terra
Com toda a força d'alma —, agora em ânsias
Sentia o hálito vital fugir-lhe,
    E a terra abandoná-lo.

Estua-lhe[326] a dor no peito aflito!...
Só não chorava, que do pranto a fonte
Jazia extinta; mas pensava triste:
— Não tinha alguém que lhe cerrasse os olhos
Nem quem chorando lhe abrandasse o amargo
    Do extremo agonizar.

E a mente, já medrosa, em feio quadro
Lhe pintava os seus feitos; — A vingança,
Que tão grande prazer lhe tinha sido,
Ora em martírios se tornava; a chusma[327]
Dos homicídios seus crescia torva,
    E no leito o cercava.

Crença infantil! dizia; loucos, cegos
Prejuízos do vulgo; — assim dizendo
Os vãos fantasmas repelir buscava.
Mas a crença infantil, os prejuízos
Do néscio vulgo, ríspidos tornavam,
    Como inseto importuno.

Debalde[328] por não ver cerrava os olhos.
Sobre os olhos debalde as mãos cruzava,
Que as sombras nos ouvidos lhe falavam,
E mais distintas se pintavam n'alma
— Tão bem molesta, qual se pinta o corpo
    Do espelho no polido.

---

326 Vibra, pulsa.
327 Grande quantidade de pessoas.
328 Embalde, em vão.

E do seu passamento o caso infando[329]
Narrava uma após outra, sobre o peito
Mostrando o golpe fúnebre e cruento;
Sorvendo o fel da taça amarga o enfermo
Parecia sorrir!... era qual louco
     Que sofre e um riso finge.

E das visões indo a fugir se arroja
De sobre o leito delirante; as sombras
Voam sobre ele, e em círculo se ordenam.
O moribundo a esta, a aquela, a todas
Volve o pávido[330] rosto, no mover-se
     Progressivo, incessante.

E preso ao duro embate da vertigem[331],
As mestas[332] sombras ao redor com ele
Fugir sentia; o pavimento, a casa
Rápido rodava; a terra e tudo,
Como aos soluços dum vulcão tremendo,
     As forças lhe tolhiam.

E o orgulhoso que feliz vivera,
Movendo a seu bom grado mil escravos,
Querendo a terra dominar co'um gesto,
Ora mesquinho, solitário e louco,
Face a face, lutando com seus crimes,
     Morria impenitente.

IV

Era o vulto de um homem morto que
afastando o sudário se ia erguer do
túmulo para revelar alguns dos temerosos
mistérios, que encerra a aparente
quietação dos sepulcros.
     -- O Presbítero[333]

---

329 Horrível, abominável.
330 Assombrado, apavorado.
331 Tonteira.
332 Tristes, melancólicas.
333 Sacerdote, padre. Provavel excerto de Eurico, o presbítero, do português Alexandre Herculano

O negrume da noite avulta; e cresce
    Mais feia a escuridão
À luz da sacra pira[334] que derrama
    Frouxo e tíbio[335] clarão.

Calou-se o canto, a prece —, é mudo o templo;
    Apenas fraco soa
Da torre o bronze, que a noturna brisa
    De rumores povoa.

Mas eis que de um sepulcro a pedra fria
    S'ergue e sobre outras cai.
Não se escuta rumor! — da campa livre
    Medroso espectro sai.

O rosto ossificado em torno volve,
    Volve a suja caveira;
Do liso crânio os longos dedos varrem
    A fúnebre poeira.

Mas inda inteiro o coração se via
    Do peito nas cavernas[336],
Inda sangrento lágrimas chorava
    Do negro sangue eternas.

E caminhando, qual se move a sombra,
    Ao órgão se assentou!
Já não dormem os sons, não dormem ecos...
    — O triste assim cantou:

"Onde estás, meu amor, meus encantos[337],
Por quem só me pesava morrer,
Doce encanto que a vida me prendes,
Que inda em morto me fazes sofrer?

(1810-1877).
334 Fogueira.
335 Fraco.
336 Nas cavernas do peito.
337 Observar que o canto do espectro, à maneira do "Canto do Piaga", é composto por versos de nove sílabas.

"Doce amor, minha vida no mundo,
Desse mundo em que parte serás;
Em que cismas, que pensas, que fazes,
Onde estás, meu amor, onde estás?

"Ah! debalde na campa gelada,
Fria morte me pôde deitar!
Foi debalde — que eu sinto, que eu ardo;
Foi debalde — que eu amo a penar.

"Ah! se eu triste no mundo pudesse
Como outrora viver, respirar...
Não soubera dizer-te os ardores
Que o sepulcro não pôde apagar.

"Onde estás? — Já da morte o bafejo[338]
Por teu rosto divino roçou;
Já na campa descansas finada,
Que o teu corpo sem vida tragou?

"Mas a morte não pôde impiedosa
Crua foice vibrar contra ti!
Ah! tu vives, que eu sinto, que eu sofro
Crus ardores quais sempre sofri.

"E eu não posso o teu nome à noitinha
Entre as folhas saudoso cantar,
Nem seguir-te nas asas da brisa,
Nem teu sono de sonhos doirar.

"Nem lembrar-te os queridos instantes
Que a teu lado arroubado[339] passei,
Sem cuidados de incerto futuro,
Só cuidoso da vida que amei.

"Não te lembras da noite homicida
Em que um ferro meu peito varou,

---
338 O hálito.
339 Extasiado.

Quando a fácil[340] conversa de amores
Teu marido cioso[341] quebrou?!

Desde então hei penado sozinho,
Verte sangue meu peito — de então;
Pôde a morte acabar-me a existência,
Mas delir-me[342] não pôde a paixão!

"Nosso adúltero afeto no mundo
Não se acaba; — assim quis o Senhor!
Não se acaba... — qu'importa? — hei gozado
Teus encantos gentis, teu amor.

"Por te amar outras fráguas[343] sofrera,
Outros transes e dor e penar;
Oh! poder que eu pudesse outra vida
E outro inferno sofrer por te amar!"

Mas da aurora já raiava
          Macio e brando clarão;
Macia e branda a canção
          Do negro espectro soava.

E medroso se colava
          Ao órgão seu negro véu,
Que imiga[344] não se ajuntava
          Ao seu vulto a luz do céu.

Pouco a pouco se perdia
          O negro espectro; a canção
Pouco a pouco enfraquecia:
          Do dia ao tênue clarão,

Era o cantar um soído[345]
          Fraco, incerto e duvidoso;

---

340 Espontânea, natural.
341 Ciumento.
342 Delir: destruir.
343 Frágua é fogueira. No sentido figurado, aflição.
344 Inimiga.
345 Rumor, som.

Era o vulto pavoroso
Duma sombra vão tremido.

V - A MORTE

Dans sa doiileur elle se trouvail
malheurese d'être immortelle.
-- Fénélon[346]

Da aurora vinha nascendo
O grato e belo clarão;
Eu sonhava! já mais brandos
Eram meus sonhos então.

Condensou-se o ar num ponto,
Cresceu o sutil vapor;
Vi formada uma beleza,
Cheia de encantos, de amor.

Mas na candura do rosto
Não se pintava o carmim;
Tinha um quê de cera junto
À nitidez do marfim.

— "Quem és tu, visão celeste,
Belo Arcanjo do Senhor?"
Respondeu-me: — "Sou a Morte,
Cru[347] fantasma de terror!"

— Ah lhe tornei: És a morte,
Tão formosa e tão cruel!
— Correndo o mundo sozinha
No meu pálido corcel[348] —,

---

346 François de Fénélon (1651-1715) poeta francês, autor do Diálogo dos mortos. O trecho diz: Em sua
dor ela se encontrou desgraçada por ser imortal.
347 Em Gonçalves Dias, quase sempre o termo *cru* aparece como sinônimo de duro, angustiante, aflitivo.
348 Referência ao Apocalipse, c. VI: *Et ecce equus pallidus, et qui sedebat super illum nomen illi Mors.*

Assim dizia — Tu julgas
Que não tenho coração,
Que executo os meus deveres
Sem pesar, sem aflição?

— Que inda em flor da vida arranco
Ao jovem, sem compaixão,
A donzela pudibunda[349]
Ou ao longevo[350] ancião?

— Oh! não, que eu sofro martírios
Do que faço ao mais sofrer,
Sofro dor de que outros morrem,
De que eu não posso morrer;

— Mas em parte a dor me cura
Um pensamento, que é meu —,
Lembro aos humanos que a terra
É só passagem p'ra o céu.

— Faço ao triste erguer os olhos
Para a celeste mansão;
Em lábios que nunca oraram
Derramo pia oração.

— É meu poder quem apura
Os vícios que a mente encerra,
Ao fogo da minha dor;
Sou quem prendo aos céus a terra,
Sou quem ligo a criatura
Ao ser do seu Criador.

— Mas qu'importa? Sem descanso
É-me forçoso marchar,
Abater ímpias[351] frontes,
Régias frontes decepar.

---

349 Cheia de pudor.
350 Idoso, macróbio, que tem muita idade.
351 Cruéis, sem piedade.

— Passar ao través dos homens,
Como um vento abrasador;
Como entre o feno maduro
A foice do segador[352].

— E prostrar uma após outra
Geração e geração,
Como peste que só reina
Em meio da solidão." —

Desponta o sol radioso
Entre nuvens de carmim:
Cessa o canto pesaroso,
Como corda áurea de Lira,
Que se parte, que suspira
Dando um gemido sem fim.

O VATE[353]

NO ÁLBUM DE UM POETA

> Moi. . . j'aimerai la victoire;
> Pour mon coer, ami de toute gloire,
> Les triomphes d'autrui ne sont pas un affront.
> Poète, j'eus toujours un chanl pour les poétes,
> Et jamais le laurier qui pare d'autre têtes
> Ne jeta d'ombre sur mon front[354].
> -- V. Hugo

Vate! Vate! que és tu? — Nos seus extremos
Fadou-te[355] Deus um coração de amores,
Fadou-te uma alma acesa borbulhando
Ardidos pensamentos, como a lava
Que o gigante Vesúvio[356] arroja às nuvens.

---

352 Ceifeiro, aquele que corta o feno.
353 Bardo, poeta. Aquele que vaticina. Estreita relação entre o profeta e o poeta.
354 *Eu amarei a tua vitória, por meu coração, amigo de toda glória. Os triunfos do outro não são uma afronta. Poeta, eu tenho sempre um canto para os poetas, e nunca o louro que enfeita outras cabeças atira sombras sobre a minha testa.*
355 Fadar: predestinar, vaticinar.
356 Vulcão da Itália.

Vate! vate! que és tu? — Foste ao princípio
 Sacerdote e profeta;
Eram nos céus teus cantos uma prece,
 Na terra um vaticínio[357].
E ele cantava então: — Jeová me disse,
 Majestoso e terrível.

"Vês tu Jerusalém como orgulhosa
Campeã entre as nações, como no Líbano
Um cedro a cuja sombra a hissope[358] cresce?
Breve a minha ira transformada em raios
 Sobre ela cairá;
Um fero vencedor dentro em seus muros
 Tributária[359] a fará;
E quando escravos seus filhos, sobre pedra
 Pedra não ficará[360]."

E os réprobos[361] de saco se vestiam,
 Em pó, em cinza envoltos;
E colando co'a terra os torpes[362] lábios,
E açoitando co'as mãos o peito imbele[363],
 Senhor! Senhor! — clamavam.

E o vate entanto o pálido semblante
Meditabundo[364] sobre as mãos firmara,
Suplicando ao Senhor do interno d'alma.
Foram santos então. — Homero[365] o mundo
Criou segunda vez —, o inferno o Dante —,
Milton[366] o paraíso —, foram grandes!

E hoje!... em nosso exílio erramos tristes,
Mimosa esp'rança ao infeliz legando.
Maldizendo a soberba, o crime, os vícios

---

357 Predição, profecia.
358 Planta medicinal da família das labiadas.
359 Dependente, sujeita a pagar tributos.
360 Paráfrase de profecias bíblicas do Velho Testamento.
361 Perversos, malvados.
362 Infames, vis, ignóbeis.
363 Tímido, covarde.
364 Reflexivo, pensativo.
365 Poeta grego que viveu no século IX a.C., provável autor da Odisseia.
366 John Milton (1608-1674), poeta inglês, autor de O paraíso perdido.

E o infeliz se consola, e o grande treme.

Damos ao infante aqui do pão que temos,

E o manto além ao mísero raquítico:

    Somos hoje Cristãos.

À MORTE PREMATURA DA ILL.MA SRA. D...
(no Álbum de seu Irmão Dr. J. D. Lisboa Serra)[367]

On dirait que le ciel aux coeurs plus magnanimes
Measure plus de maux.
-- Lamartine[368]

Perfeita formosura em tenra idade
Qual flor, que antecipada foi colhida,
Murchada está da mão da sorte dura.
-- Camões[369] (soneto)

Lá, bem longe daqui[370], em tarde amena,

Gozando a viração das frescas auras[371],

Que do Brasil os bosques brandamente

Faziam balançar —, e que espalhavam

No éter encantado odor, pureza —

Do que a rosa mais bela —, meiga e casta,

    Como as virgens do sol,

Que de vezes não foi ela pendente

Dos braços fraternais em meigo abraço;

Como mimosa flor presa, enlaçada

A tenro arbusto que a vergôntea[372] débil

    Lhe ampara docemente!...

---

367 João Duarte Lisboa da Serra era grande amigo de Gonçalves Dias. Não era costume, porém, escrever por extenso o nome de mulheres de família. Daí só a inicial da irmã de Lisboa Serra.
368 Afonso de Lamartine (1790-1896), poeta do romantismo francês, autor de Harmonias poéticas e religiosas. A epígrafe expressa: Dir-se-á que o céu dos corações mais magnânimos é a melhor medida do mal (frase em itálico).
369 Luís Vaz de Camões (1524-1580), poeta do Classicismo de Portugal, autor de Os lusíadas e de vasta obra lírica.
370 Coimbra. Portugal, onde se encontrava Gonçalves Dias.
371 Brisas. Nos dois versos seguintes, observar as aliterações em /b/ (em itálico), que influenciaram, mais tarde, Castro Alves, no célebre verso de "O navio negreiro": Que a brisa do Brasil beija e balança.
372 Ramo de planta de certo porte. O poeta usa imagens vegetais associadas à fragilidade feminina.

PRIMEIROS CANTOS

E o irmão que só nela se revia,
O irmão que a adorava, qual se adora
    Um mimo do Senhor;
Que a tinha por farol, conforto e guia,
Os seus dias contava por encantos;
E as virtudes co'os dias pleiteavam[373].
E ela morreu no viço[374] de seus anos!...
E a lajem[375] fria e muda dos sepulcros
Se fechou sobre o ente esmorecido
    Ao despontar de vida
Tão rica de esperanças e tão cheia
    De formosura e graças!...

Campa! Campa! que de terror incutes!
Quanto esse teu silêncio me horroriza!
E quanto se assemelha a tua calma
À do cruel malvado que impassível
Contempla a sua vítima torcer-se
Em convulsões horríveis, desesp'radas;
    Cruas vascas[376] da morte!...
    Quem tão má fé te criou?
Tu que tragas o ente que esmorece
    Ao despontar de vida
Tão rica de esperanças e tão cheia
    De formosura e graças?!

O farol se apagou? a luz sumiu-se!
Como o fugaz clarão do meteoro,
Extinguiu-se a esperança; e o malfadado[377]
Sobre a terra deserta em vão procura
Traços dessa que amou, que tanto o amara,
Da jovem companheira de seus brincos[378],
    Pesares e alegrias.
Ele a procura... o viajor pasmado[379]

373 Ombreavam, competiam em mérito.
374 Exuberância de vida. Vigor de vegetação nas plantas.
375 Laje, lousa, pedra.
376 Náuseas, ânsias excessivas, estertores.
377 Desgraçado, desditoso.
378 Brincadeiras.
379 O viajante espantado.

Nos campos de Pompeia, alonga a vista
Pela amplidão do praino[380],
Destroços e ruínas encontrando,
Onde esperava movimento e vida.

Não poder eu a troco de meu sangue
Poupar-te dessas lágrimas metade!
Oh! poder que eu pudesse! — e almo[381] sorriso.
Que tanto me compraz ver-te nos lábios,
Inda uma vez brilhasse!
E essa existência,
Que tão cara me é, ta[382] visse eu leda,
E feliz como a vida dos Arcanjos!
Infeliz é quem chora: ela finou-se[383],
Porque os anjos à terra não pertencem:
Mas lá dos imortais sobre os teus dias
A suspirada irmã vela incessante.

Vinde, cândidas rosas, açucenas,
Vinde, roxas saudades;
Orvalhai, tristes lágrimas, as c'roas,
Que hão de a campa adornar por mim depostas
Em holocausto[384] à vítima da morte.
Inocência, pudor, beleza e graça
Com ela nessa campa adormeceram.
Anjo no coração, anjo no rosto[385],
Devera o amor chorar sobre o teu seio,
Que não grinaldas[386] fúnebres tecer-te;
Devera voz d'esposo acalentar-te[387]
O sono da inocência —, não grosseira
Canção de trovador não conhecido.

Coimbra, junho de 1841.

---

380 Planície.
381 Puro, casto.
382 Leia-se: te a visse eu leda.
383 Morreu.
384 Sacrifício.
385 Reminiscência de verso de Gregório de Matos, que Gonçalves Dias copiou em Portugal: Anjo no nome, angélica na cara...
386 Coroas.
387 Embalar cantando, serenar, tranquilizar.

A MENDIGA

Donnez: -
Et quand vous paraître devant juge austère
Vous direz: J'ai connu la pitié sur la terre,
Je puis la demander aux cieux![388]
-- Turquety

I

Eu sonhei durante a noite...
    Que triste foi meu sonhar!
Era uma noite medonha,
    Sem estrelas, sem luar.

E ao través do manto escuro
    Das trevas[389], meus olhos viam
Triste mendiga formosa,
    Qu'infortúnios[390] consumiam.

Era uma pobre mendiga,
    Porém, cândida donzela;
Pudibunda, afável, doce,
    Amorosa, e casta, e bela.

Vestia rotos andrajos[391],
    Que o seu corpo mal cobriam;
Por vergonha os olhos dela
    Sobre ela se não volviam.

Pelas costas descobertas
    Cortador o frio entrava;
Tinha fome e sede —, e o pranto
    Nos seus olhos borbulhava.

---

388 *Conceda: — E quando aparecerdes diante do juiz austero, direis: Eu conheço a pena sobre a terra, eu posso mandá-la para os céus.*
389 Comum em Gonçalves Dias esse jogo de palavras: través/trevas.
390 Infelicidades.
391 Trapos rasgados.

E qual vemos dos céus descendo rápido
Um fugaz meteoro, vi descendo
Um anjo do Senhor; — parou sobre ela,
E mudo a contemplava. — Uma tristeza
Simpática[392], indizível pouco e pouco
Do anjo nas feições se foi pintando:
Qual tristeza de irmão que a irmã mais nova
Conhece enferrma e chora. — Ela no peito
Menor sentiu a dor, e humilde orava.

II

De um vasto edifício nas frias escadas
Eu vi-a sentada; — era um templo, diziam,
Secreto concílio[393] de sócios piedosos,
Que o bem tinha juntos, que bem só faziam.

Defronte um palácio soberbo se erguia,
E dele partia confuso rumor:
— A dança girava, e a orquestra sonora
Cantava alegria, prazeres e amor[394].

E quando ao palácio um conviva chegava,
Rugindo se abria o ruidoso portão;
Eflúvios[395] de incenso nos ares corriam
Da rua esteirada com vivo clarão.

E a triste mendiga ali 'stava ao relento,
Com fome, com frio, com sede e com dor;
E eu vi o seu anjo, mais triste no aspecto,
Mais baço, mais turvo da glória o fulgor.

E à porta do vasto sombrio edifício
        Um vulto chegou.
— Senhor, uma esmola! bradou-lhe a mendiga
        E o vulto parou.

---

392 Simpatia no sentido da faculdade de compartir as tristezas de outrem.
393 Assembleia de prelados religiosos.
394 Observar o gosto pelas antíteses: de um lado, o prazer, de outro, a religiosidade.
395 Emanações, exalações.

E rude no acento, no aspecto severo,
    Lhe disse: — O teu nome?
Tornou-lhe a mendiga: — Senhor, uma esmola,
    Que eu morro de fome.

— Não, dizes teu nome? lhe torna o soberbo
    — Sou órfã, sozinha;
Meu nome qu'importa, se eu sofro, se eu gemo,
    Se eu choro mesquinha!"[396]

— Em vis meretrizes[397] não cabe esse orgulho,
    Tornou-lhe o Senhor,
Que à noite, nas trevas, contratam no crime,
    Vendendo o pudor.

E a porta do templo — erguido à piedade
    Com força batia;
Co'o peso do insulto acrescido à crueza,
    A triste gemia.

III

Ouvi depois um rodar que a todo o instante[398]
Mais distinto se ouvia; e logo um forte,
Fascinador clarão por toda a rua
Se derramou soberbo. — Infindos pajens
Ricas librés[399] trajando, mil archotes[400]
Nos ares revolviam; — fortes, rápidos,
Fumegantes corcéis, sorvendo a terra,
Tiravam rica sege[401] melindrosa.
Sobre a terra saltou airosa e bela
A dona, em frente do festivo paço[402];
E a mendiga bradou: — Senhora minha,
Dai uma esmola, dai! — À voz dorida
Volveu-se o rosto d'anjo, porém d'anjo

---

396 Pobre, indigente.
397 Prostitutas indignas.
398 Este verso tem onze sílabas, mas o restante da estrofe só contém decassílabos.
399 Uniforme dos criados.
400 Fachos.
401 Carruagem.
402 Palácio, casa nobre e suntuosa.

Não era o coração; — foi-lhe importuno,
Mais que importuno... da mesquinha o grito!
E da mendiga o protetor celeste
Parecia falar em favor dela;
E a rica dona o escutava, como
Se ouvisse a interna voz que dentro mora.
E eu dizia também — Ó bela Dona,
Dai-lhe uma esmola, dai; — de que vos serve
Um óbolo[403] mesquinha, que não pode
Sequer um dixe[404] sem valor comprar-vos?
Ah! bela como sois, que vos importam
Custosas flores, com que ornais a fronte?
Para a salvar do vórtice[405] do crime,
O preço delas, uma só, da coisa,
Que sem valor julgardes, é bastante.
Sabeis? — Além da vida, além da morte,
Quando deixardes o oiropel[406] na campa,
Quando subirdes do Senhor ao trono,
Sem andrajos sequer, também mendiga,
Ali tereis as lágrimas do pobre,
A bênção do afligido, a prece ardente
Do que sofrendo vos bendisse —, ó Dona.

Fechou-se a porta festival sobre ela!
E a donzela se ergueu, corou de pejo,
Lançando os olhos pela rua escusa[407],
E segura no andar, e firme, à porta
Do palácio bateu — entrou — sumiu-se.

E o anjo, como aflito sob um peso,
Um gemido soltou; era uma nota
Melancólica e triste —, era um suspiro
Mavioso de virgem —, um soído

403 Esmola, dádiva de pouco valor.
404 Ornamento de ouro ou de pedraria.
405 Redemoinho, voragem.
406 Ouropel: ouro falso.
407 Suspeita, misteriosa.

Sutil, mimoso, como d'Harpa Eólia[408],
Que a brisa da manhã roçou medrosa.

IV

Dos muros ao través meus olhos viram
Soberba roda de convivas —, todos
Veludos, sedas, e custosas galas
Trajavam senhoris. — Reinava o jogo
Avaro[409] e grave, leda e viva a dança
Em vórtices girava, a orquestra doce
Cantava oculta; condensados, bastos,
Em redor do banquete estavam muitos.
A mendiga ali estava —, não trajando
Sujos farrapos, mas delgadas telas.
Choviam brindes e canções e vivas
À Deusa airosa do banquete; todos
Um volver dos seus olhos, um sorriso,
Uma voz de ternura, um mimo, um gesto
Cobiçavam rivais; — e ali com ela,
Como um raio do sol por entre as nuvens
Lá na quadra hibernal[410] penetra a custo
Quase sem vida, sem calor, sem força,
Menos brilhante vi seu anjo belo.
Nos curtos lábios da feliz mendiga
Passava rápido um sorriso às vezes;
Outras chorava, no volver do rosto,
Na taça do prazer sorvendo o pranto.
Encontradas paixões sentia o anjo:
Parecia chorar co'o seu sorriso,
Parecia sorrir co'o choro dela.

A ESCRAVA[411]

O bien qu'aucun bien ne peut rendre!
Patrie! doux nom que l'exil fait comprendre!
-- Marino Faliero[412]

---

408   Instrumento musical constituído por uma caixa sonora com seis ou oito cordas afinadas em um mesmo tom, e que soava quando exposto a uma corrente de vento.
409   Que tem avareza, que é sórdido e excessivamente apegado ao dinheiro.
410   Quadra hibernal: o inverno, período do frio.
411   O poema tem o foco narrativo sob o prisma de Alsgá, uma escrava.
412   Marino Faliero (1274-1355), doge de Veneza, morreu decapitado por ser contra a oligarquia de sua terra. A epígrafe diz que a pátria é doce nome que o exílio faz compreender, é bem que não se pode entregar.

Oh! doce país de Congo
Doces terras d'além-mar!
Oh! dias de sol formoso!
Oh! noites d'almo luar!

Desertos de branca areia
De vasta, imensa extensão,
Onde livre corre a mente,
Livre bate o coração!

Onde a leda caravana
Rasga o caminho passando,
Onde bem longe se escuta
As vozes que vão cantando!

Onde longe inda se avista
O turbante muçulmano,
O Iatagã[413] recurvado,
Preso à cinta do Africano!

Onde o sol na areia ardente
Se espelha, como no mar;
Oh! doces terras de Congo,
Doces terras d'além-mar!

———————

Quando a noite sobre a terra
Desenrolava o seu véu,
Quando sequer uma estrela
Não se pintava no céu;

Quando só se ouvia o sopro
De mansa brisa fagueira,
Eu o aguardava — sentada
Debaixo da bananeira.

Um rochedo ao pé se erguia,
Dele à base uma corrente

---

413 Sabre, alfanje, arma recurvada dos árabes e turcos.

Despenhada sobre pedras,
Murmurava docemente.

E ele às vezes me dizia:
— Minha Alsgá, não tenhas medo;
Vem comigo, vem sentar-te
Sobre o cimo do rochedo.

E eu respondia animosa:
— Irei contigo, onde fores! —
E tremendo e palpitando
Me cingia aos meus amores.

Ele depois me tornava
Sobre o rochedo — sorrindo;
— As águas desta corrente
Não vês como vão fugindo?

Tão depressa corre a vida,
Minha Alsgá; depois morrer
Só nos resta!... — Pois a vida
Seja instantes de prazer[414].

Os olhos em torno volves
Espantados — Ah! também
Arfa o teu peito ansiado!...
Acaso temes alguém?

Não receies de ser vista,
Tudo agora jaz dormente;
Minha voz mesmo se perde
No fragor[415] desta corrente.

Minha Alsgá, por que estremeces?
Por que me foges assim?
Não te partas, não me fujas,
Que a vida me foge a mim!

---

414 Observar a retomada do *Carpe Diem*, tão presente no Barroco.
415 Ruído, estrondo.

Outro beijo acaso temes,
Expressão de amor ardente?
Quem o ouviu? — o som perdeu-se
No fragor desta corrente.

Assim praticando amigos
A aurora nos vinha achar!
Oh! doces terras de Congo,
Doces terras d'além-mar!

Do ríspido senhor a voz irada[416]
    Rábida[417] soa,
Sem o pranto enxugar a triste escrava
    Pávida voa[418].

Mas era em mora[419] por cismar na terra,
    Onde nascera,
Onde vivera tão ditosa, e onde
    Morrer devera!

Sofreu tormentos, porque tinha um peito,
    Qu'inda sentia;
Mísera escrava! No sofrer cruento.
    Congo! dizia[420].

AO DR. JOÃO DUARTE LISBOA SERRA[421]

23 agosto

Mais um pungir de acérrima[422] saudade,
Mais um canto de lágrimas ardentes,
Oh! minha Harpa —, oh! minha Harpa desditosa[423].

---

416 Mudança na estrutura e no foco narrativo, agora na terceira pessoa.
417 Raivosa.
418 A escrava se apressa a atender o seu senhor.
419 Demora.
420 Tentativa de poema social, apontando o sofrimento da negra escrava, temática que será preponderante na última fase do Romantismo, com Castro Alves.
421 Grande amigo do poeta, que já foi mencionado em poema anterior, a respeito da morte da irmã.
422 Observar o gosto pela hipérbole: saudade marcada por um ferir extremamente amargo.
423 Harpa ou lira: referência metalinguística ao próprio poema.

PRIMEIROS CANTOS

Escuta, ó meu amigo: da minha alma
Foi uma lira outrora o instrumento;
Cantava nela amor, prazer, venturas,
Até que um dia a morte inexorável
Triste pranto de irmão veio arrancar-te!
As lágrimas dos olhos me caíram,
E a minha lira emudeceu de mágoa!
Então aventei eu que a vida inteira
Do bardo, era um perene sacerdócio
De lágrimas e dor; — tomei uma Harpa:
Na corda da aflição gemeu minha alma,
Foi meu primeiro canto um epicédio![424]
Minha alma batizou-se em pranto amargo,
Na frágua do sofrer purificou-se!

Lancei depois meus olhos sobre o mundo,
Cantor do sofrimento e da amargura;
E vi que a dor aos homens circundava,
Como em roda da terra o mar se estreita;
Que apenas desfrutamos —, miserandos![425]
Desbotado prazer entre mil dores,
— Uma rosa entre espinhos aguçados,
Um ramo entre mil vagas combatido.

Voltou-se então p'ra Deus o meu esp'rito,
E a minha voz queixosa perguntou-lhe:
— Senhor, porque do nada me tiraste,
Ou por que a tua voz onipotente
Não fez secar da minha vida a seve[426],
Quando eu era princípio e feto — apenas?

Outra voz respondeu-me dentro d'alma:
— Ardam teus dias como o feno —, ou durem
Como o fogo de tocha resinosa,
— Como rosa em jardim sejam brilhantes,

---

424 O poeta faz referência ao canto fúnebre, título de outro poema. É um caso de *intratextualidade*.
425 Miseráveis.
426 Seiva, substância essencial, sangue.

Ou baços como o cardo[427] montesinho[428].
Não deixes de cantar, ó triste bardo. —

E as cordas da minha harpa — da primeira
À extrema — da maior à mais pequena,
Nas asas do tufão — entre perfumes,
Um cântico de amores exaltaram
Ao trono do Senhor; — e eu disse às turbas[429]:
— Ele nos faz gemer porque nos ama;
Vem o perdão nas lágrimas contritas[430],
Nas asas do sofrer desce a clemência;
Sobre quem chora mais ele mais vela!
Seu amor divinal é como a lâmpada,
Na abóbada dum templo pendurada,
Mais luz filtrando em mais opacas trevas.

Eu o conheço: — o cântico do bardo
É bálsamo[431] ao que morre —, é lenitivo,
Mas doloroso, mas funéreo[432] e triste
A quem lhe carpe infausto[433] a morte crua.
Mas quando a alma do justo, espedaçando
O envolucre[434] de lodo, aos céus remonta,
Como estrada de luz correndo os astros,
Seguindo o som dos cânticos dos anjos
Que na presença do Senhor se elevam;
Choro... tão bem Jesus chorou a Lázaro![435]
Mas na excelsa[436] visão que se me antolha[437]
Bebo consolações —, minha alma anseia
A hora em que também há de asilar-se
No seio imenso do perdão do Eterno.

Chora, amigo; porém quando sentires
O pranto nos teus olhos condensar-se,

---

427 Planta.
428 Do monte.
429 Multidões.
430 Arrependidas.
431 Conforto, mesmo que lenitivo.
432 Fúnebre.
433 Infeliz.
434 Invólucro, envoltório: o próprio corpo.
435 Irmão de Marthe e de Maria, o qual Cristo ressuscitou.
436 Sublime.
437 Antolhar: figurar, representar, pôr diante dos olhos.

Que já não pode mais banhar-te as faces,
Ergue os olhos ao céu, onde a luz mora,
Onde o orvalho se cria, onde parece
Que a tímida esperança nasce e habita.
E se eu — feliz! — puder inda algum dia
Ferir por teu respeito na minha harpa
A leda corda onde o prazer palpita,
A corda do prazer que ainda inteira,
Que virgem de emoção inda conservo,
Suspenderei minha harpa dalgum tronco
Em of'renda à fortuna; — ali sozinha,
Tangida pelo sopro só do vento,
Há de mistérios conversar co'a noite.
De acorde estreme[438] perfumando as brisas:
Qual Harpa de Sião[439] presa aos salgueiros
Que não há de cantar a desventura,
Tendo cantos gentis vibrado nela.

O DESTERRO DE UM POBRE VELHO

Et dulces moriens reminiscitur Argos.
-- Virgílio[440]

O! schwer ist's, in der Fremde sterben unbeweint!
-- Schiller[441]

A aurora vem despontando,
    Não tarda o sol a raiar:
Cantam aves —, a natura[442]
    Já começa a respirar.

Bem mansa na branca areia
    Onda queixosa murmura,

---

438 Puro.
439 Jerusalém.
440 Publio Virgílio (50-19 a.C.), poeta latino, autor de *Bucólicas*. Diz a Epígrafe que é doce morrer recordando Argos. Este nome refere-se à cidade e Estado mais importante do Peloponeso, território de Agamemnon, chefe grego, personagem da *Ilíada*, de Homero, e da *Eneida*, do próprio Virgílio.
441 Johann Christoph Friedrich von Shiller (1759-1805), poeta do Romantismo alemão, autor do *Hino da Alegria*, que foi musicado por Beethoven. Diz a epígrafe que é difícil morrer no estrangeiro sem chorar.
442 A natureza.

Bem mansa aragem fagueira
        Entre a folhagem sussurra.

É hora cheia de encantos,
        E hora cheia de amor;
A relva brilha enfeitada,
        Mais fresca se mostra a flor.

Esbelta joga a fragata[443],
        Como um corcel a nitrir[444];
Suspensa a amarra tem presa,
        Suspensa, que vai partir.

Em demanda da fragata,
        Leve barco vem vogando[445];
Nele um velho cujas faces
        Mudo choro está cortando.

Quem era o velho tão nobre,
        Que chorava,
Por assim deixar seus lares,
        Que deixava?[446]

"Ancião, por que te ausentas?
        Corres tu trás de ventura?[447]
Louco! a morte já vem perto.
        Tens aberta a sepultura.

"Louco velho, já não sentes
        Bater frouxo o coração?
Oh! que o sente! — É lei d'exílio
        A que o leva em tal sazão![448]

"Não ver mais a cara pátria,
        Não ver mais o que deixava,

---

443 Pequena embarcação.
444 Misturando os sentidos da visão e audição, este símile é de gosto duvidoso: igualar o movimento do
barco ao relincho do cavalo, como se ambos estivessem prestes a partir.
445 Navegando.
446 Por que deixava?
447 Indaga se o velho corre atrás da felicidade.
448 Oportunidade, ensejo, ocasião própria.

PRIMEIROS CANTOS

Não ver nem filhos, nem filhas,
    Nem o casal[449], que habitava!...

"Oh! que é má pena de morte,
    A pena de proscrição[450];
Traz dores que martirizam,
    Negra dor de coração!

"Pobre velho! — longe, longe
    Vás sustento mendigar;
Tens de sofrer novas dores,
    Novos males que penar.

"Não t'há de valer a idade,
    Nem a dor tamanho e nobre;
Tens de tragar vis afrontas,
    — Insultos que sofre o pobre!

"Nada acharás no degredo,
    Que fale dos filhos teus;
Ninguém sente a dor do pobre...
    Só te fica a mão de Deus.

"O sol, que além vês raiando
    Entre nuvens de carmim,
Noutros climas, noutras terras
    Não verás raiar assim.

"Não verás a rocha erguida,
    Onde t'ias assentar;
Nem o som bem conhecido
    Do teu sino hás de escutar.

"Há de cair sobre as ondas
    O pranto do teu sofrer,
E nesse abismo salgado,
    Salgado se há de perder."

---

449 Pequena propriedade rústica.
450 Desterro.

Já chegou junto à fragata,
    Já na escada se apoiou,
Já com voz intercortada
    Último adeus soluçou.

Canta o nauta, e solta as velas
    Ao vento que o vai guiar;
E a fragata mui veleira[451]
    Vai fugindo sobre o mar.

E o velho sempre em silêncio
    A calva testa dobrou,
E pranto mais abundante
    O rosto senil cortou[452].

Inda se vê branca a vela
    Do navio, que partiu;
Mais além — inda se avista!
    Mais além — já se sumiu!

O ORGULHOSO

Eu o vi! — tremendo era no gesto,
    Terrível seu olhar;
E o cenho carregado[453] pretendia
    O globo dominar.

Tremendo era na voz, quando no peito
    Fervia-lhe o rancor!
E aos demais homens, como um cedro à relva,
    Se cria sup'rior[454].

E o pobre agricultor, junto a seus filhos,
    Dentro do humilde lar,

---

451 Ligeira, rápida, veloz.
452 Isto é, o pranto abundante cortou o rosto senil, velho.
453 Aspecto ou rosto severo, carrancudo.
454 Isto é, ele acreditava que era superior aos outros homens como o cedro é mais alto do que a relva.

Quisera, antes que os[455] dele, ver um Tigre
    Os olhos fuzilar:

Que a um filho seu talvez quisera o nobre
    Para um Executor;
Ou para o leito infesto[456] alguma filha
    Do triste agricultor.

Quem ousaria resistir-lhe? — Apenas
    Algum pobre ancião
Já sobre o seu sepulcro, desejando
    A morte e a salvação.

––––––––––

Alguns dias apenas decorreram;
    E eis que ele se sumiu!
E a lajem dos sepulcros fria e muda
    Sobre ele já caiu.

E o bárbaro tropel dos que o serviam
    Exulta[457] com seu fim!
E a turba aplaude; e ninguém chora a morte
    De homem tão ruim.

O COMETA
AO SR. FRANCISCO SOTERO DOS REIS

Non est potestas, quae comparetur ei qui
factus est ut nullum timeret.
-- Job[458]

Eis nos céus rutilando ígneo[459] cometa!
A imensa cabeleira o espaço alastra,
E o núcleo, como um sol tingido em sangue,
Alvacento luzir verte agoireiro[460]
    Sobre a pávida terra.

---

455 O pronome (os) relaciona-se aos olhos do orgulhoso.
456 Pernicioso, nocivo, danoso.
457 Manifesta grande júbilo, alegra-se.
458 Jó, personagem bíblico, célebre por sua paciência. A epígrafe relaciona-se com a temeridade do poder de Deus.
459 Relativo a fogo.
460 Agouro, presságio.

Poderosos do mundo, grandes, povo,
Dos lábios removei a taça ingente[461],
Que em vossas festas gira; eis que rutila
O sanguíneo cometa em céus infindos!...
    Pobres mortais —, sois vermes!

O Senhor o formou terrível, grande;
Como indócil corcel que morde o freio,
Retinha-o só a mão do Onipotente.
Alfim[462] lhe disse: — Vai, Senhor dos
    Mundos, Senhor do espaço infindo.

E qual louco temido, ardendo em fúria,
Que ao vento solta a coma[463] desgrenhada,
E vai, néscio de si, livre de ferros,
De encontro às duras rochas —, tal progride
    O cometa incansável.

Se na marcha veloz encontra um mundo,
O mundo em mil pedaços se converte;
Mil centelhas de luz brilham no espaço
A esmo, como um tronco pelas vagas
    Infrenes[464] combatido.

Se junto doutro mundo acaso passa,
Consigo o arrasta e leva transformado;
A cauda portentosa o enlaça e prende,
E o astro vai com ele, como argueiro[465]
    Em turbilhão levado.

Como Leviatã[466] perturba os mares,
Ele perturba o espaço; — como a lava,
Ele marcha incessante e sempre; — eterno,
Marcou-lhe largo giro a lei que o rege,
    — Às vezes o infinito.

---

461 Grande.
462 Finalmente.
463 A cabeleira.
464 Sem freios.
465 Cisco.
466 Monstro do caos, na mitologia fenícia, identificado, na Bíblia, com um animal aquático ou réptil.

Ele carece então da eternidade!
E aos homens diz — e majestoso e grande
Que jamais o verão; e passa, e longe
Se entranha em céus sem fim, como se perde
    Um barco no horizonte!

O OIRO[467]

Oiro —, poder, encanto ou maravilha
Da nossa idade —, regedor da terra,
Que dás honra e valor, virtude e força,
Que tens ofertas, oblações[468] e altares —,
Embora teu louvor cante na lira
Vendido Menestrel[469] que pôde insano
Do grande à porta renegar seu gênio!
Outro, sim, que não eu. — Bardo sem nome,
Com pouco vivo; — sobre a terra, à noite,
Meu corpo lanço, descansando a fronte
Num tronco ou pedra ou mal nascido arbusto.
Sou mais que um rei co'o meu dossel[470] de nuvens
Que tem gravados cintilantes mundos!
Com a vista no céu percorro os astros.
Vagueia a minha mente além das nuvens,
Vagueia o meu pensar — alto, arrojado
Além de quanto o olhar nos céus alcança.

Então do meu Senhor me calam n'alma
D'amor ardente enlevos indizíveis;
Se tento às gentes redizer seu nome,
Queimadoras palavras se atropelam
Nos meus lábios; — profética harmonia
Meu peito anseia, e em borbotões[471] se expande.
Grandes, Senhor, são tuas obras, grandes
Teus prodígios, teu poder imenso:

---

467   O ouro.
468   Oferenda feita a Deus ou aos santos.
469   Trovador. Referência aos que cantam para os poderosos, renegando o próprio gênio.
470   Cobertura.
471   Golfadas, jorros.

O pai ao filho o diz, um sec'lo a outro,
A terra ao céu, o tempo à eternidade!

Do mundo as ilusões, vaidade, engano.
Da vida a mesquinhez — prazer ou pranto —
Tudo esse nome arrasta, prostra e some;
Como aos raios do sol desfeito o gelo,
Que em ondas corre no pendor[472] do monte,
Precípite[473] e ruidoso —, arbustos, troncos
Consigo no passar rompidos leva.

A UM MENINO

Oferecida à exma. Sra. D. M. L. L. V.

I

Gentil, engraçado infante
Nos teus jogos inconstante,
Que tens tão belo semblante,
Que vives sempre a brincar,
— Dos teus brinquedos te esqueces
À noitinha —, e te entristeces
Como a bonina —, e adormeces,
Adormeces a sonhar!

II

Infante, serão as cores
De várias, viçosas flores,
Ou são da aurora os fulgores
Que vêm teus sonhos doirar?
Foi de algum ente celeste,
Que de luzeiros se veste,
Ou da brisa é que aprendeste,
Que aprendeste a suspirar?

---

472 Inclinação.
473 Veloz.

PRIMEIROS CANTOS

III

Tens no rosto afogueado
Um qual retrato acabado
De um sentir aventurado,
Que te ri no coração;
É talvez a voz mimosa
De uma fada caprichosa,
Que te promete amorosa,
Algum brilhante condão!

IV

Ou por ventura és contente,
Porque no sonho, que mente,
Fantasiaste inocente
Algum dos brinquedos teus!...
Senhor, tens bondade infinda!
Fizeste a aurora bem linda,
Criaste na vida ainda
Um'outra aurora dos céus.

V

O som da corrente pura,
A folhagem que sussurra,
Um acento de ternura,
De ternura divinal;
A indizível harmonia
Dos astros no fim do dia,
A voz que Mêmnon[474] dizia,
Que dizia matinal;

VI

Nada disto tem o encanto,
Nada disto pode tanto
Como o risonho quebranto[475],
Divino — do seu dormir:
Que nada há como a Donzela
Pensativa, doce e bela,
E a comparar-se com ela...
Só de um infante o sorrir.

---

474 Alusão ao personagem mitológico, de cuja estátua saía um som que era tido como saudação à aurora.
475 Desfalecimento.

VII

Mas de repente chorando
Despertas do sono brando
Assustado e soluçando...
Foi uma revelação!
Esta vida acerba e dura
Por um dia de ventura
Dá-nos anos de amargura
E fráguas do coração.

VIII

Só aquele que da morte
Sofreu o terrível corte,
Não tem dores que suporte,
Nem sonhos o acordarão:
Gentil infante, engraçado,
Que vives tão sem cuidado,
Serás homem — mal pecado!
Findará teu sonho então.

O PIRATA
(EPISÓDIO)

Nas asas breves do tempo
    Um ano e outro passou,
E Lia sempre formosa
    Novos amores tomou.

Novo amante mão de esposo,
    De mimos cheia, lh'of'rece;
E bela, apesar de ingrata,
    Do que a amou Lia se esquece.

Do que a amou que longe para,
    Do que a amou, que pensa nela,
Pensando encontrar firmeza
    Em Lia, que era tão bela!

Nesse palácio deserto
    Já luzes se vêm luzir,

Que vêm nas sedas, nos vidros
      Cambiantes refletir.

Os ecos alegres soam,
      Soa ruidosa harmonia,
Soam vozes de ternura,
      Sons de festa e d'alegria.

E qual ave que em silêncio
      A face do mar desflora,
À noite bela fragata
      Chega ao porto, amaina[476], ancora.

Cai da popa e fere as ondas
      Inquieta, esguia falua[477],
Que resvala sobre as águas
      Na esteira que traça a lua.

Já na vácua[478] praia toca;
      Um vulto em terra saltou,
Que na longa escadaria
      Pressago[479] e torvo enfiou.

Malfadado! por que aportas
      A este sítio fatal!
Queres o brilho aumentar
      Das bodas do teu rival?

Não, que a vingança lhe range
      Nos duros dentes cerrados,
Não, que a cabeça referve
      Em maus projetos danados!

Não, que os seus olhos bem dizem
      O que diz seu coração;
Terríveis, como um espelho,
      Que retratasse um vulcão.

Não, que os lábios descorados
      Vociferam seu rival;

476 Abranda, acalma.
477 Pequena embarcação.
478 Deserta.
479 Indício de um acontecimento futuro.

Não, que a mão no peito aperta
    Seu pontiagudo punhal.

Não, por Deus, que tais afrontas
    Não as sói deixar impunes,
Quem tem ao lado um punhal,
    Quem tem no peito ciúmes!

Subiu! — e viu com seus olhos
    Ela a rir-se que dançava,
Folgando, infame! nos braços
    Porque assim o assassinava.

E ele avançou mais avante,
    E viu... o leito fatal!
E viu... e cheio de raiva
    Cravou no meio o punhal.

E avançou... e à janela
    Sozinha a viu suspirar,
— Saudosa e bela encarando
    A imensidade do mar.

Como se vira um espectro,
    De repente ela fugiu!
Tal foge a corça nos bosques
    Se leve rumor sentiu.

Que foi? — Quem sabe dizê-lo?
    Foram vislumbres de dor:
Coração, que tem remorsos,
    Sente contínuo terror!

Ele à janela chegou-se,
    Horrível nada encontrou...
Somente, ao longe, nas sombras,
    Sua fragata avistou.

Então pensou que no mundo
    Nada mais de seu contava!
Nada mais que essa fragata!
    Nada mais de quanto amava!

Nada mais!... — que lh'importava
    De no mundo só se achar?
Inda muito lhe ficava —
    Água e céus e vento e mar.

Assim pensava, mas nisto
    Descortina o seu rival,
Não visto; — a mão na cintura
    Cingiu raivoso o punhal!

Mas pensou... — não, seja dela,
    E tenha zelos como eu? —
Larga o punhal, e um retrato
    Na destra mão estendeu.

Porém sentiu que inda tinha
    Mais que branda compaixão;
Miserando! Inda guardava
    Seu amor no coração.

Infeliz! não foi culpada;
    Foi culpa do fado meu!
Nada mais de pensar nela;
    Finjamos que ela morreu.

Por entre a turva que alegre
    No baile — a sorrir-se estava,
Mudo, triste, e pensativo
    Surdamente se afastava.

De manhã — quando o sarau[480]
    Apagava o seu rumor,
Chegava Lia à janela,
    Mais formosa de palor[481].

---

480 Aqui, aparece no sentido de festa.
481 Palidez.

Chegou-se; — e além — no horizonte
    Uma vela inda avistou;
E co'a mão trêmula e fria
    O telescópio buscou!

Um pavilhão[482] viu na popa,
    Que tinha um globo pintado;
E no mastro da mezena[483]
    Um negro vulto encostado.

Eram chorosos seus olhos,
    Os olhos seus enxugou;
E o telescópio de novo
    Para essa vela apontou.

Quem era o vulto tão triste
    Parece reconheceu;
Mas a vela no horizonte
    Para sempre se perdeu.

A VILA MALDITA, CIDADE DE DEUS

AO SEU QUERIDO E AFETUOSO AMIGO A. T. DE CARVALHO LEAL

> *Peccata peccavit Jerusalem, et propter*
> *ea instabilis facta est; omnes qui*
> *glorificabant eam, spreverunt illam, quia*
> *viderunt ignominiam ejus; ipsa autem*
> *gemens conversa est retrorsum.*
>   -- Lament[484]

I

O imenso aposento a luz alaga
    Com soberbo clarão,
E as mesas do banquete se devolvem
    Pelo vasto salão;

---

482 Bandeira.
483 Último mastro numa embarcação de quatro mastros.
484 Jeremias, profeta bíblico. O trecho citado pertence ao capítulo 1, versículo 8 das *Lamentações*:
Jerusalém gravemente pecou, por isso se fez instável: todos os que a honravam a desprezaram, porque
viram a sua nudez; ela também suspirou e voltou para trás.

PRIMEIROS CANTOS

E os instrumentos palpitantes soam
    Frenética harmonia;
E o coro dos convivas se levanta
    Pleno d'ébria[485] alegria!

Ali se ostenta o nobre vicioso
Rebuçado[486] em orgulho —, o rico infame,
Cheio de mesquinhez —, o envilecido,
Imundo pobre no seu manto involto

De misérias, torpeza e vilanias;
— A prostituta que alardeia os vícios,
Menosprezando a castidade e a honra,
Sem pejo, sem pudor, d'infâmia eivada.

E o livre ditirambo[487], a atroz blasfêmia,
Os cantos imorais, canções impudicas[488],
Gritos e orgia envolta em negro manto
De fumo e vinho —, os ares aturdiam;
E muito além, no meio d'alta noite,
Nos ecos, ruas, praças rebatiam.

II

Depois, ainda suja a boca, as faces,
    D'imundo vomitar,
Com vacilante pé calcando a terra
    Os viras levantar.

A larga porta despedia em turmas
    A noturna coorte[489];
Ouvia-se depois por toda a parte
    Gritos, horror de morte!

E ninguém vinha ao retinir de ferro,
    Que assassinava;
Porque era dum valente o punhal nobre,
    Que as leis ditava.

---

485 Embriagada.
486 Encoberto.
487 Poema para Dionísio ou Baco, o deus do vinho.
488 Sem pudor.
489 Legião, multidão.

Outra vez a cair se emaranhavam
    Da porta pelo umbral[490]:
Tinham tintas de sangue a face, as vestes,
    Em sangue tinto o punhal.

E vinha o sol manifestar horrores
    Da noite derradeira;
E a morte vária revelava a fúria
    Da turba carniceira.

E o sacrílego padre só vendia
    O tum'lo por dinheiro;
Vendia a terra aos mortos insepultos,
    O vil interesseiro!

Ou lá ficavam, como pasto aos corvos,
    Por sobre a terra nua;
E ninguém de tal sorte se pesava,
    Que ser podia a sua!

"E Deus maldisse a terra criminosa,
    Maldisse aos homens dela,
Maldisse a cobardia dos escravos
    Dessa terra tão bela."

III

E a mortífera peste lutuosa[491]
    Do inferno rebentou,
E nas asas dos ventos pavorosa
    Sobre todos passou.

E o mancebo que via esperançoso
    Longa vida futura,
Doido sentiu quebrar-lhe as esperanças
    Pedra de sepultura.

---

490 A entrada.
491 Cheia de luto.

E a donzela tão linda que vivia
  Confiada no amor,
Entre os braços da mãe provou bem cedo
  Da morte o dissabor.

E o trêmulo ancião qu'inda esperava
  Morrer assim
Como um fruto maduro destacado
  D'árvore enfim,

Sentiu a morte esvoaçar-lhe em torno,
  Como um bulcão[492],
Que afronta o nauta quando avista a terra
  Da salvação.

Era deserta a vila, a casa, o templo —
  Ar de morte soprou!
Mas a casa dos vis nos seus delírios
  Ébria continuou!

"E Deus maldisse a terra criminosa,
  Maldisse os homens dela,
Maldisse a cobardia dos escravos
  Dessa terra tão bela."

IV

Eis o aço da guerra lampeja,
Do fogoso corcel o nitrido,
Eis o brônzeo canhão que rouqueja,
Eis da morte represso[493] o gemido.

Já se aprestam guerreiros luzentes,
Já se enfreiam corcéis belicosos,
Já mancebos se partem contentes,
Augurando a vitória briosos[494].

---

492 Espesso nevoeiro.
493 Reprimido.
494 Cheios de brio, valentes.

Brilha a raiva nos olhos; — nas faces
O interno rancor podes ler;
Eia, avante! — clamaram os bravos,
Eia, avante! — ou vencer ou morrer!

Eia, avante! — briosos corramos
Na peleja o imigo bater;
Crua morte na espada levamos!
Eia, avante! — ou vencer ou morrer!

Eis o aço da guerra lampeja,
Do corcel belicoso o nitrido,
Eis o brônzeo canhão que rouqueja
E da morte represso o gemido.

V

E a selva vomitou homens sem conto
      À voz do onipotente,
Como a neve hibernal que o sol derrete,
      Engrossando a corrente.

E em redor dessa vila se estreitaram,
      Cingidos d'armadura;
E a vila se doeu no íntimo seio
      De tão acre amargura.

Mas os fortes bradaram: — Eia, avante! —
      Prontos a batalhar;
Mas o braço e valor ante os imigos
      Se vieram quebrar.

E um ano inteiro sem cessar lutaram,
      Cheios de bizarria[495],
Como dois crocodilos que brigassem
      Dum rio a primazia!

---

495 Pompa, garbo.

E renderam-se enfim, mas de famintos.

De sequiosos;

Valentes lidadores foram eles,

Se não briosos.

VI

E o exército contrário entra rugindo
Na vila, que as suas portas lhe franqueia:
Rasteiro corre o incêndio e surdamente
O custoso edifício ataca e mina.
Eis que a chama roaz amostra as fendas
Das portas que se abrasam; descortina
O torvo olhar do vencedor — apenas —
Lá dentro o incêndio só, fora só trevas!
Urros de frenesi[496], de dor, de raiva
Escutam dos que, às súbitas colhidos,
Contra os muros em brasa se arremessam;
Dos que, perdido o tino, intentam loucos
Achar a salvação, e a morte encontram.
Lá dentro confusão, silêncio foral
São carrascos aqui, vítimas dentro,
Geme o travejamento[497], estrala a pedra,
Cresce horror sobre horror, desaba o teto,
E o fumo enegrecido se enovela
Co'o vértice sublime os céus roçando.
Como o vulcão que a lava arroja às nuvens,
Como ígnea coluna que da terra
Hiante[498] rebentasse —, tal se eleva,
Tal sobe aos ares, tal se empina e cresce
A labareda portentosa; e baixa,
E desce à terra, co'o edifício enrola,
E o sorve inteiro, qual se foram vagas
Que a dura rocha do alicerce abalam,
Que a enlaçam, como a preia[499] —, e ao fundo pego[500]
Levam, deixando e mar branco d'espuma.

---

496 Delírio.
497 Vigamento, conjunto de traves.
498 Famélico, esfomeado.
499 O edifício está sendo envolvido para ser engolido como a presa de um carniceiro.
500 O mar.

No horror da noite, sibilando os ventos,
Línguas piramidais do atroz incêndio.
Fumosas pelas ruas estalando,
Tingem da cor do inferno a cor da noite,
Tingem da cor do sangue a cor do inferno!
— O ar são gritos, fumo o céu, e a terra fogo.

VII

E aqueles que inda sãos e imunes eram,
    Os que a peste enjeitou,
Que fome e sede e privações sofreram...
    A espada decepou.

E a donzela tremeu, da mãe nos braços
    Não salva ainda,
Que incitava os prazeres do soldado
    A face linda.

E o fido[501] amante, que de a ver tão bela
    Sentiu prazer,
Sente martírios porque a vê formosa
    No seu morrer.

Coisa alguma escapou! — Já tudo é cinzas
    Tudo destruição:
A coluna, o palácio, a casa, o templo,
    O templo da oração!

Meninos, homens e mulheres —, todos
    Já rojam sobre o pó;
Mas o Deus, o Deus bom já está vingado.
    Por ela já sente dó.

E a vila d'outrora mais ruidosa,
    Lá ressurgiu cidade;
Porque o Deus da justiça, o das armadas,
    O Deus é de bondade.

---

501 Fiel.

PRIMEIROS CANTOS

QUADRAS DA MINHA VIDA
RECORDAÇÃO E DESEJO

Ao meu bom amigo o Dr. A. Rego

Sol chi non lascia eredità d'affeti
Poca gioia ha dell'urna.
-- Foscolo[502]

I

Houve tempo em que os meus olhos
    Gostavam do sol brilhante,
E do negro véu da noite,
    E da aurora cintilante.

Gostavam da branca nuvem
    Em céu de azul espraiada,
Do terno gemer da fonte
    Sobre pedras despenhada.

Gostavam das vivas cores
    De bela flor vicejante,
E da voz imensa e forte
    Do verde bosque ondeante.

Inteira a natureza me sorria!
A luz brilhante, o sussurrar da brisa,
O verde bosque, o rosicler[503] d'aurora,
Estrelas, céus, e mar, e sol, e terra,
D'esperança e d'amor minha alma ardente,
De luz e de calor meu peito enchiam.
Inteira a natureza parecia
Meus mais fundos, mais íntimos desejos
Perscrutar e cumprir; — almo sorriso
Parecia enfeitar co'os seus encantos,
Com todo o seu amor compor, doirá-lo,

---

502 Ugo Foscolo (1778-1827), poeta italiano, autor de *Últimas cartas de Jacopo Ortis*, influenciado por Goethe. A epígrafe, melancólica, expressa, metaforicamente, que, se o sol não legou afeto, pouca alegria se levará para o túmulo.
503 Tonalidade rosa-claro, que lembra a da aurora.

117

Porque os meus olhos deslumbrados vissem-no,
Porque minha alma de o sentir folgasse.

Oh! quadra tão feliz! — Se ouvia a brisa
Nas folhas sussurrando, o som das águas,
Dos bosques o rugir; — se os desejava,
— O bosque, a brisa, a folha, o trepidante
Das águas murmurar prestes ouvia.
Se o sol doirava os céus, se a lua casta.
Se as tímidas estrelas cintilavam,
Se a flor desabrochava envolta em musgo,
— Era a flor que eu amava —, eram estrelas
Meus amores somente, o sol brilhante,
A lua merencória[504] — os meus amores!
Oh! quadra tão feliz! — doce harmonia,
Acordo estreme de vontade e força[505],
Que atava minha vida à natureza!
Ela era para mim bem como a esposa
Recém-casada, pudica e sorrindo,
Alma de noiva — coração de virgem,
Que a minha vida inteira abrilhantava!
Quando um desejo me brotava n'alma,
Ela o desejo meu satisfazia;
E o quer que ela fizesse ou me dissesse,
Esse era o meu desejo, essa a voz minha,
Esse era o meu sentir do fundo d'alma,
Expresso pela voz que eu mais amava.

II

Agora a flor que m'importa,
    Ou a brisa perfumada,
Ou o som d'amiga fonte
    Sobre pedras despenhada?

Que me importa a voz confusa
    Do bosque verde-frondoso,

---

504 Melancólica.
505 Observar o rebuscamento dos versos, cujo sentido é: A força de vontade era o acordo puro que atava a vida do eu-lírico à natureza.

Que m'importa a branca lua,
    Que m'importa o sol formoso?

Que m'importa a nova aurora,
    Quando se pinta no céu;
Que m'importa a feia noite,
    Quando desdobra o seu véu?

Estas cenas, que amei, já me não causam
Nem dor e nem prazer! — Indiferente,
Minha alma um só desejo não concebe,
Nem vontade já tem!... Oh! Deus! quem pôde
Do meu imaginar as puras asas
Cercear, desprender-lhe as níveas plumas,
Rojá-las sobre ó pó, calcá-las tristes?
Perante a criação tão vasta e bela
Minha alma é como a flor que pende murcha;
É qual profundo abismo: — embalde estrelas
Brilham no azul dos céus, embalde a noite
Estende sobre a terra o negro manto:
Não pode a luz chegar ao fundo abismo,
Nem pode a noite enegrecer-lhe a face;
Não pode a luz à flor prestar mais brilho
Nem viço e nem frescor prestar-lhe a noite!

III

Houve tempo em que os meus olhos
    Se extasiavam de ver
Ágil donzela formosa
    Por entre flores correr.

Gostavam de um gesto brando,
    Que revelasse pudor;
Gostavam de uns olhos negros,
    Que rutilassem de amor.

E gostavam meus ouvidos
    De uma voz — toda harmonia —,
Quer pesares exprimisse,
    Quer exprimisse alegria.

Era um prazer, que eu tinha, ver a virgem
Indolente[506] ou fugaz — alegre ou triste,
Da vida a estreita senda desflorando
Com pé ligeiro e ânimo tranquilo;
Impróvida[507] e brilhante parecendo
Seus dias desfolhar, uns após outros,
Como folhas de rosa; — e no futuro —
Ver luzir-lhe somente a luz d'aurora.
Era deleite e dor vê-la tão leda
Do mundo as aflições, angústias, prantos
Afrontar co'um sorriso; era um descanso
Interno e fundo, que sentia a mente,
Um quadro em que os meus olhos repousavam,
Ver tanta formosura e tal pureza
Em rosto de mulher com alma d'anjo!

IV

Houve tempo em que os meus olhos
    Gostavam de lindo infante,
Com a candura e sorriso
    Que adorna infantil semblante.

Gostavam do grave aspecto
    De majestoso ancião,
Tendo nos lábios conselhos,
    Tendo amor no coração.

Um representa a inocência,
    Outro a verdade sem véu;
Ambos tão puros, tão graves,
    Ambos tão perto do céu!

Infante e velho! — princípio e fim da vida! —
Um entra neste mundo, outro sai dele,
Gozando ambos da aurora; — um sobre a terra,
E o outro lá nos céus. — O Deus, que é grande,
Do pobre velho compensando as dores,

---

506 Insensível.
507 Improvidente, negligente.

PRIMEIROS CANTOS

O chama para si; o Deus clemente
Sobre a inocência de contínuo vela.
Amei do velho o majestoso aspecto,
Amei o infante que não tem segredos,
Nem cobre o coração co'os folhos[508] d'alma.
Armei as doces vozes da inocência,
A ríspida franqueza amei do velho,
E as rígidas verdades mal sabidas,
Só por lábios senis pronunciadas.

V

Houve tempo, em que possível
    Eu julguei no mundo achar
Dois amigos extremosos,
    Dois irmãos do meu pensar:

Amigos que compr'endessem
    Meu prazer e minha dor,
Dos meus lábios o sorriso,
    Da minha alma o dissabor;

Amigos, cuja existência
    Vivesse eu co'o meu viver:
Unidos sempre na vida,
    Unidos — té[509] no morrer.

Amizade! — união, virtude, encanto —
Consórcio[510] do querer, de força e d'alma —
Dos grandes sentimentos cá da terra
Talvez o mais recíproco, o mais fundo!
Quem há que diga: Eu sou feliz! — se acaso
Um amigo lhe falta? — um doce amigo,
Que sinta o seu prazer como ele o sente,
Que sofra a sua dor como ele a sofre?
Quando a ventura lhe sorri na vida,
Um a par doutro — ei-los lá vão felizes;
Quando um sente aflição, nos braços do outro

---

508 Enfeites, adornos.
509 Até.
510 União.

A aflição, que é só dum, carpindo juntos,
Encontra doce alívio o desditoso
No tesouro que encerra um peito amigo.
Cândido par de cisnes, vão roçando
A face azul do mar co'as níveas asas
Em deleite amoroso; — acalentados
Pelo sereno espreguiçar das ondas,
Aspirando perfumes mal sentidos,
Por vesperina[511] aragem bafejados,
É jogo o seu viver; — porém se o vento
No frondoso arvoredo ruge ao longe,
Se o mar, batendo irado as ermas praias,
Cruzadas vagas em novelo enrola,
Com grito de terror o par candente
Sacode as níveas asas, bate-as —, fogem.

VI

Houve tempo em que eu pedia
    Uma mulher ao meu Deus,
Uma mulher que eu amasse,
    Um dos belos anjos seus.

Em que eu a Deus só pedia
    Com fervorosa oração
Um amor sincero e fundo,
    Um amor do coração.

Qu'eu sentisse um peito amante
    Contra o meu peito bater,
Somente um dia... somente!
    E depois dele morrer.

Amei! e o meu amor foi vida insana!
Um ardente anelar[512], cautério[513] vivo,
Posto no coração, a remordê-lo.
Não tinha uma harmonia a natureza

---

511 Vespertina, da tarde.
512 Desejar.
513 Ferida viva.

Comparada a sua voz; não tinha cores
Formosas como as dela —, nem perfumes
Como esse puro odor qu'ela esparzia[514]
D'angélica pureza. — Meus ouvidos
O feiticeiro som dos meigos lábios
Ouviam com prazer; meus olhos vagos
De a ver não se cansavam; lábios d'homens
Não puderam dizer como eu a amava!
E achei que o amor mentia, e que o meu anjo
Era apenas mulher! chorei! deixei-a!
E aqueles, que eu amei co'o amor d'amigo,
A sorte, boa ou má, levou-mos longe,
Bem longe quando eu perto os carecia.
Concluí que a amizade era um fantasma,
Na velhice prudente — hábito apenas,
No jovem — doudejar; em mim lembrança;
Lembrança! — porém tal que a não trocara
Pelos gozos da terra —, meus prazeres
Foram só meus amigos —, meus amores
Hão de ser neste mundo eles somente.

VII

Houve tempo em que eu sentia
    Grave e solene aflição,
Quando ouvia junto ao morto
    Cantar-se a triste oração.

Quando ouvia o sino escuro
    Em sons pesados dobrar,
E os cantos do sacerdote
    Erguidos junto do altar.

Quando via sobre um corpo
    A fria lousa cair;
Silêncio debaixo dela,
    Sonhos talvez — e dormir.

---

514 Esparzir: espalhar, derramar.

Feliz quem dorme sob a lousa amiga,
Tépida[515] talvez com o pranto amargo
Dos olhos da aflição; — se os mortos sentem,
Ou se almas têm amor aos seus despojos,
Certo dos pés do Eterno, entre a aleluia,
E o gozo lá dos céus, e os coros d'anjos,
Hão de lembrar-se com prazer dos vivos,
Que choram sobre a campa, onde já brota
O denso musgo, e já desponta a relva.
Laje fria dos mortos! quem me dera
Gozar do teu descanso, ir asilar-me
Sob o teu santo horror, e nessas trevas
Do bulício[516] do mundo ir esconder-me!
Oh! lajem dos sepulcros! quem me desse
No teu silêncio fundo asilo eterno!
Aí não pulsa o coração, nem sente
Martírios de viver quem já não vive.

HINOS

Singe dem Herrn mein Lied, und du, begeisterte Seele,
Werde ganz Jubel dem Gott, den alle Wesen bekennen!
-- Wieland[517]

Mesquinho tributo de profunda amizade ao dr. J. Lisboa Serra

O MAR[518]

Frappé de la grandeur farouche
Je tremble... est-ce bien toi, vieux lion que je touche.
Océan, terrible océan![519]
-- Turquety

---

515 Morna.
516 Agitação.
517 Christoph Martin Wieland (1733-1813), escritor alemão, autor de *Sentimentos de um cristão*. A epígrafe expressa que a poesia deve cantar a Deus, a alma entusiasmada deve jubilar-se ao Senhor, a quem toda criatura confessa. Esta última parte dos *Primeiros cantos* é composta por hinos religiosos.
518 Poema que exemplifica bem o panteísmo romântico, a fusão da natureza com a concepção divina.
519 Manuel Bandeira traduz: *Impressionado por tua fera grandeza, estremeço... És mesmo tu, velho leão, que eu toco, Oceano, Oceano, terrível oceano.*

PRIMEIROS CANTOS

Oceano terrível, mar imenso
De vagas procelosas[520] que se enrolam
Floridas rebentando em branca espuma
    Num polo e noutro polo,
Enfim... enfim te vejo; enfim meus olhos
Na indômita cerviz[521] trêmulos cravo,
E esse rugido teu sanhudo[522] e forte
    Enfim medroso escuto!

Donde houveste[523], ó pélago[524] revolto,
Esse rugido teu? Em vão dos ventos
Corre o insano pegão lascando os troncos,
    E do profundo abismo
Chamando à superfície infindas vagas,
Que avaro encerras no teu seio undoso[525];
Ao insano rugir dos ventos bravos
    Sobressai teu rugido.
Em vão troveja horríssona[526] tormenta;
Essa voz do trovão, que os céus abala,
Não cobre a tua voz. — Ah! donde a houveste,
    Majestoso oceano?

Ó mar, o teu rugido é um eco incerto
Da criadora voz, de que surgiste:
Seja[527], disse; e tu foste, e contra as rochas
    As vagas competiste.
E à noite, quando o céu é puro e limpo,
Teu chão tinges de azul —, tuas ondas correm
Por sobre estrelas mil; turvam-se os olhos
    Entre dois céus brilhantes.

Da voz de Jeová um eco incerto
Julgo ser teu rugir; mas só, perene,
Imagem do infinito, retratando

---

520 Tempestuosas.
521 O topo, o cume indomável do mar.
522 Furioso.
523 Obtiveste.
524 Mar.
525 Cheio de ondas.
526 Que produz som aterrorizador.
527 Palavras da Bíblia sobre a criação do mar. "Ser" está no sentido de "existir".

As feituras de Deus.
Por isto, a sós contigo, a mente livre
Se eleva, aos céus remonta ardente, altiva,
E deste lodo terreal[528] se apura,
    Bem como o bronze ao fogo.
Férvida a Musa, co'os teus sons casada,
Glorifica o Senhor de sobre os astros
Co'a fronte além dos céus, além das nuvens,
    E co'os pés sobre ti.

O que há mais forte do que tu? Se erriças
A coma perigosa, a nau possante,
Extremo de artifício, em breve tempo
    Se afunda e se aniquila.
És poderoso sem rival na terra;
Mas lá te vais quebrar num grão d'areia,
Tão forte contra os homens, tão sem força
    Contra coisa tão fraca![529]

Mas nesse instante que me está marcado,
Em que hei de esta prisão[530] fugir p'ra sempre
Irei tão alto, ó mar, que lá não chegue
    Teu sonoro rugido.
Então mais forte do que tu, minha alma,
Desconhecendo o temor, o espaço, o tempo,
Quebrará num relance o círc'lo estreito
    Do infinito e dos céus!

Então, entre miríades de estrelas,
Cantando hinos d'amor nas harpas d'anjos,
Mais forte soará que as tuas vagas,
    Mordendo a fulva[531] areia;
Inda mais doce que o singelo canto
De merencória virgem, quando a noite
Ocupa a terra —, e do que a mansa brisa,
    Que entre flores suspira.

---

528 A condição humana.
529 O mar, ao quebrar-se na praia, é vencido pela areia, coisa fraca.
530 Isto é, a terra, a condição de ser mortal.
531 Amarelada.

PRIMEIROS CANTOS

IDEIA DE DEUS

Gross ist der Herr! Die Himmel ohne Zahl
Sind seine Wohnungen!
Seine Wagen die donnernden Gewölke,
Und Blitze sein Gespann.
-- Kleist[532]

I

À voz de Jeová infindos mundos
 Se formaram do nada;
Rasgou-se o horror das trevas, fez-se o dia,
 E a noite foi criada.

Luziu no espaço a lua! sobre a terra
 Rouqueja o mar raivoso,
E as esferas nos céus ergueram hinos
 Ao Deus prodigioso.

Hino de amor à criação, que soa
 Eternal, incessante,
Da noite no remanso, no ruído
 Do dia cintilante!

A morte, as aflições, o espaço, o tempo,
 O que é para o Senhor?
Eterno, imenso, que lh'importa a sanha
 Do tempo roedor?

Como um raio de luz, percorre o espaço,
 E tudo nota e vê —
O argueiro, os mundos, o universo, o justo;
 E o homem que não crê.

E ele que pode aniquilar os mundos,
 Tão forte como ele é,

---

532 Heinrich von Kleist (1777-1811), poeta e dramaturgo alemão, que se matou, levado pela angústia e melancolia. A epígrafe expressa que grande é o Senhor, o céu inumerável é a Sua morada, Sua carruagem são as nuvens trovejantes, e o raio é Sua parelha (junta de cavalos).

E vê e passa, e não castiga o crime,
    Nem o ímpio sem fé!

Porém quando corrupto um povo inteiro
    O Nome seu maldiz,
Quando só vive de vingança e roubos,
    Julgando-se feliz;

Quando o ímpio comanda, quando o justo
    Sofre as penas do mal,
E as virgens sem pudor, e as mães sem honra.
    E a justiça venal[533];

Ai da perversa, da nação maldita,
    Cheia de ingratidão,
Que há de ela mesma sujeitar seu colo
    A justa punição.

Ou já terrível peste expande as asas,
    Bem lenta a esvoaçar;
Vai de uns a outros, dos festins conviva,
    Hóspede em todo o lar!

Ou já torvo rugir da guerra acesa
    Espalha a confusão;
E a esposa, e a filha, de terror opresso[534],
    Não sente o coração.

E o pai, e o esposo, no morrer cruento,
    Vomita o fel raivoso;
— Milhões de insetos vis que um pé gigante
    Enterra em chão lodoso.

E do povo corrupto um povo nasce
    Esperançoso e crente.
Como do podre e carunchoso tronco
    Hástea forte e virente[535].

---

533 Corrupta, que se vende.
534 Oprimido.
535 Entenda: caule verdejante.

PRIMEIROS CANTOS

II

Oh! como é grande o Senhor Deus, que os mundos
    Equilibra nos ares;
Que vai do abismo aos céus, que susta as iras
    Do pélago fremente[536],

A cujo sopro a máquina estrelada
    Vacila nos seus eixos,
A cujo aceno os querubins[537] se movem
    Humildes, respeitosos,

Cujo poder, que é sem igual, excede
    A hipérbole arrojada!
Oh! como é grande o Senhor Deus dos mundos,
    O Senhor dos prodígios.

III

Ele mandou que o sol fosse princípio,
    E a razão de existência,
Que fosse a luz dos homens — olho eterno
    Da sua providência.

Mandou que a chuva refrescasse os membros,
    Refizesse o vigor
Da terra hiante, do animal cansado
    Em praino abrasador.

Mandou que a brisa sussurrasse amiga,
    Roubando aroma à flor;
Que os rochedos tivessem longa vida,
    E os homens grato amor!

Oh! como é grande e bom o Deus que manda
    Um sonho ao desgraçado,
Que vive agro[538] viver entre misérias,
    De ferros rodeado;

---

536 Mar violento, agitado.
537 Querubim: anjo da primeira hierarquia.
538 Amargurado.

O Deus que manda ao infeliz que espere
    Na sua providência;
Que o justo durma, descansado e forte
    Na sua consciência!

Que o assassino de contínuo vele,
    Que trema de morrer;
Enquanto lá nos céus, o que foi morto,
    Desfruta outro viver!

Oh! como é grande o Senhor Deus, que rege —
    A máquina estrelada[539],
Que ao triste dá prazer; descanso e vida
    À mente atribulada[540]!

O ROMPER D'ALVA

Quand ta carde n'aurait qu'un son,
Harpe fidèle, chante encore
Le Dieu que ma jeunesse adore.
Car c'est un hymne que son nom[541].
    -- Lamartine

Do vento o rijo sopro as mansas ondas
Varreu do imenso pego —, e o mar rugindo
As nuvens se elevou com fúria insana;
Em noveladas vagas se arrojaram
    Ao céu co'a branca espuma!
Raivando em vão se encontram soluçando
Na base d'erma rocha descalvada[542];
Em vão de fúrias crescem, que se quebra
A força enorme do impotente orgulho
Na rocha altiva ou na arenosa praia.
Da tormenta o furor lhe acende os brios,

---

539 O Céu.
540 Aflita, angustiada.
541 Quando tua corda não for mais do que um som, Harpa fiel, cante ainda o Deus que minha juventude adora, porque é um hino o Seu nome.
542 Isto é, na base da rocha deserta e árida.

Da tormenta o furor lh'enfreia as iras,
Que em teimosos gemidos se descerram,
Da quieta noite despertando os ecos
Além, no vale humilde, onde não chega
Seu sanhudo gemer, que o dia abafa.

Mas a brisa sussurrando
        A face do céu varreu,
Tristes nuvens espalhando,
        Que a noite em ondas verteu.

Além, atrás da montanha,
        Branda luz se patenteia[543],
Que d'alma a dor afugenta,
        Se dentro sentida anseia.

Branda luz, que afaga a vista,
        De que se ama o céu tingir,
Quando entre o azul transparente
        Parece alegre sorrir;

Como és linda! — Como dobras
        Da vida a força e do amor!
— Que tão bem luz dentro d'alma
        Teu luzir encantador!

No teu ameno silêncio
        A tormenta se perdeu,
E do mar a forte vida
        Nos abismos se escondeu!

Por que assim de novo agora
        Que o vento o não vem toldar[544],
Parece que vai queixoso
        Mansamente a soluçar?

Por que as ramas do arvoredo,
        Bem como as ondas do mar,

---

543 Patentear: tornar claro, evidente.
544 Nublar, tornar escuro.

Sem correr sopro de vento,
        Começam de murmurar?

Sobre o tapiz[545] d'alva relva,
        — Rocio[546] da madrugada —
Destila gotas de orvalho
        A verde folha inclinada.

Renascida a natureza
        Parece sentir amor;
Mais brilhante, mais viçosa
        O cálix levanta a flor.

Por entre as ramas ocultas,
        Docemente a gorjear,
Acordam trinando as aves,
        Alegres, no seu trinar.

O arvoredo nessa língua
        Que diz, por que assim sussurra?
Que diz o cantar das aves?
        Que diz o mar que murmura?

— Dizem um nome sublime,
        O nome do que é Senhor,
Um nome que os anjos dizem,
        O nome do Criador.

Tão bem eu, Senhor, direi
        Teu nome — do coração,
E ajuntarei o meu hino
        Ao hino da criação.

Quando a dor meu peito acanha,
        Quando me rala a aflição.

---

545 Tapete.
546 Orvalho.

Quando nem tenho na terra
        Mesquinha consolação;
Tu, Senhor, do peso insano
        Livras meu peito arquejante,
Secas-me o pranto que os olhos
        Vertendo estão abundantes.

Tu pacificas minha alma,
        Quando se rasga com pena,
Como a noite que se esconde
        Na luz da manhã serena.

Tu és a luz do universo,
        Tu és o ser criador,
Tu és o amor, és a vida,
        Tu és meu Deus, meu Senhor.

Direi nas sombras da noite,
        Direi ao romper da aurora:
— Tu és o Deus do universo,
        O Deus que minha alma adora.

Tão bem eu, Senhor, direi
        Teu nome — do coração,
E ajuntarei o meu hino
        Ao hino da criação.

A TARDE

Ave Maria! blessed be the hour!
The time, the clime, the spot where I so oft
Have felt that moment in its fullest power
Sink o'er the earth so beautiful and soft...
-- Byron[547]

---

547 Lorde George Gordon Byron (1788-1824), poeta inglês, conhecido pelas obras melancólicas, marcadas pela angústia, pelo mal do século. A epígrafe, extraída de *Don Juan*, diz: *Ave Maria! Bendita seja a hora! O tempo, o clima, o lugar onde tantas vezes tenho sentido aquele momento baixar na sua maior força sobre a terra tão bela e suave.* (Tradução de Manuel Bandeira)

Ó tarde, oh bela tarde, oh meus amores,
Mãe da meditação, meu doce encanto!
Os rogos da minha alma enfim ouviste,
E grato refrigério[548] vens trazer-lhe
No teu remansear prenhe de enlevos!
Em quanto de te ver gostam meus olhos,
Enquanto sinto a minha voz nos lábios,
Enquanto a morte me não rouba à vida,
Um hino em teu louvor minha alma exale,
Oh tarde, oh bela tarde, oh meus amores!

I

É bela a noite, quando grave estende
Sobre a terra dormente o negro manto
De brilhantes estrelas recamado[549];
Mas nessa escuridão, nesse silêncio
Que ela consigo traz, há um quê de horrível
Que espanta e desespera e geme n'alma;
Um quê de triste que nos lembra a morte!
No romper d'alva há tanto amor, tal vida,
Há tantas cores, brilhantismo e pompa,
Que fascina, que atrai, que a amar convida;
Não pode suportá-la homem que sofre,
Órfãos de coração não podem vê-la.

Só tu, feliz, só tu, a todos prendes!
A mente, o coração, sentidos, olhos,
A ledice[550] e a dor, o pranto e o riso,
Folgam de te avistar; — são teus —, és deles
Homem que sente dor folga contigo,
Homem que tem prazer folga de ver-te!
Contigo simpatizam, porque és bela,
Qu'és mãe de merencórios pensamentos,
Entre os céus e a terra êxtasis doce,
Entre dor e prazer celeste arroubo.

---

548 Consolação, alívio.
549 Entenda: o céu coberto de estrelas.
550 Alegria. Observar a série de antíteses.

II

A brisa que murmura na folhagem,
As aves que pipilam docemente,
A estrela que desponta, que rutila,
Com duvidosa luz ferindo os mares,
O sol que vai nas águas sepultar-se
Tingindo o azul dos céus de branco e d'oiro;
Perfumes, murmurar, vapores, brisa,
Estrelas, céus e mar, e sol e terra,
Tudo existe contigo, e tu és tudo.

III

Homem que vivo agro viver de corte[551],
Indiferente olhar derrama a custo
Sobre os fulgores teus; — homem do mundo
Mal pode o desbotado pensamento
Revolver sobre o pó; mas nunca, oh nunca!
Há de elevar-se a Deus, e nunca há de ele
Na abóbada celeste ir pendurar-se,
Como de rósea flor pendente abelha.
Homem da natureza, esse contemple
De púrpura tingir a luz que morre
As nuvens lá no ocaso vacilantes!
Há de vida melhor sentir no peito,
Sentir doce prazer sorrir-lhe n'alma,
E fonte de ternura inesgotável
Do fundo coração brotar-lhe em ondas.

Hora do pôr do sol? — hora fagueira,
Qu'encerras tanto amor, tristeza tanta!
Quem há que de te ver não sinta enlevos,
Quem há na terra que não sinta as fibras
Todas do coração pulsar-lhe amigas,
Quando desse teu manto as pardas franjas
Soltas, roçando a habitação dos homens?
Há i[552] prazer tamanho que embriaga,

---

551 Retomando a oposição cidade x campo, o poeta romântico aprofunda a subjetividade dos árcades, estabelecendo a ideia de que o homem da corte não tem suficiente profundidade de questionar a sua própria efêmera condição ao meditar sobre a tarde, prelúdio da noite e da morte.
552 Aí.

Há i prazer tão puro, que parece
Haver anjos dos céus com seus acordes
A mísera existência acalentado!

IV

Sócia do forasteiro, tu, saudade,
Nesta hora os teus espinhos mais pungentes
Cravas no coração do que anda errante.
Só ele, o peregrino, onde acolher-se,
Não tem tugúrio seu, nem pai, nem 'sposa[553],
Ninguém que o espere com sorrir nos lábios
E paz no coração —, ninguém que estranhe,
Que anseie aflito de o não ver consigo!
Cravas então, saudade, os teus espinhos;
E eles, tão pungentes, tão agudos,
Varando o coração de um lado a outro,
Nem trazem dor, nem desespero incitam.
Mas remanso de dor, mas um suave
Recordar do passado —, um quê de triste
Que ri ao coração, chamando aos olhos
Tão espontâneo, tão fagueiro pranto,
Que não fora prazer não derramá-lo.
E quem — ah tão feliz! — quem peregrino
Sobre a terra não foi? Quem sempre há visto
Sereno e brando deslizar-se o fumo
Sobre o teto dos seus; e sobre os cumes
Que os seus olhos hão visto à luz primeira
Crescer branca neblina que se enrola,
Como incenso que aos céus a terra envia?
Tão feliz! quando a morte envolta em pranto
Com gelado suor lh'enerva os membros,
Procura inda outra mão co'a mão sem vida,
E o extremo cintilar dos olhos baços,
De um ente amado procurando os olhos,
Sem prazer, mas sem dor, ali se apaga.
O exilado! esse não; tão só na vida,
Como no passamento ermo e sozinho,
Sente dores cruéis, torvos pesares

---

553 Em ordem direta, seria: só ele o peregrino (o viajor) não tem tugúrio (abrigo) onde se acolher.

Do leito aflito esvoaçar-lhe em torno,
Roçar-lhe o frio, o pálido semblante,
E o instante derradeiro amargurar-lhe.
Porém, no meu passar da vida à morte,
Possa co'a extrema luz destes meus olhos
Trocar último adeus com os teus fulgores!
Ah! possa o teu alento perfumado,
Do que na terra estimo, docemente
Minha alma separar[554], e derramá-la
Como um vago perfume aos pés do Eterno.

O TEMPLO

> *Jéhovah déploie autour de nos demeures*
> *Le linceul de la nuit, ei la chaîne des heures*
> *Tombe anneau par anneauu*[555].
> -- Turquety

I

Estou só neste mudo santuário,
Eu só, com minha dor, com minhas penas!
E o pranto nos meus olhos represado,
Que nunca viu correr humana vista,
Livremente o derramo aos pés de Cristo,
Que tão bem suspirou, gemeu sozinho,
Que tão bem padeceu sem ter conforto,
Como eu padeço, e sofro, e gemo, e choro.
Remorso não me punge a consciência,
Vergonha não me tinge a cor do rosto,
Nem crimes perpetrei; — porque assim choro?
E direi eu por quê? — Antes meu berço,
Que vagidos de infante vividouro,
Os sons finais de um moribundo ouvisse![556]
Que esperanças que eu tinha tão formosas,
Que mimosos enlevos de ternura,

---

554 Na ordem direta, leia-se: *o teu alento perfumado possa separar docemente minha alma de tudo o que estimo na terra.*
555 Jeová exibe, ao redor de nossas moradas, a mortalha da noite, e a corrente das horas cai, elo por elo.
556 Entenda: antes ouvir, em meu berço, os sons de um moribundo do que o choro de um recém-nascido.

Não continha minha alma toda amores!
Esperanças e amor, que é feito delas?
Um dia me roubava uma esperança,
E sozinho, uma e uma, me deixaram.
Morreram todas, como folhas verdes
Que em princípios do inverno o vento arranca.

E o amor! — podia eu senti-lo ao menos;
Quando eu via a desdita de bem perto
Co'um sorriso infernal no rosto 'squálido[557],
Com fome e frio a tiritar[558] demente,
Acenando-me infausta? — quando vinda
Minha honra já sentia, em que os meus lábios,
Tremendo de vergonha, soluçassem
Ao f'liz[559] com que eu na rua deparasse,
De mãos erguidas: Meu Senhor, piedade!
Eis por que sofro assim, por que assim gemo,
Por que meu rosto pálido se encova,
Por que somente a dor me ri nos lábios,
Por que meu coração já todo é cinzas.

Menti, Senhor, menti! — porque te adoro.
No altar profano de beleza esquiva
Não queimo incenso vão; — tu só me ocupas
O coração, que eu fiz hóstia sagrada,
Apuro de elevados sentimentos,
Que o teu amor somente asilam, nutrem.
Quando ao sopé da cruz me chego aflito,
Sinto que o meu sofrer se vai minguando,
Sinto minha alma que de novo existe,
Sinto meu coração arder em chamas,
Arder meus lábios ao dizer teu nome.
Assim a cada aurora, a cada noite.
Virei consolações beber sedento

---

557 Descorado e fraco.
558 Tremer.
559 Feliz.

Aos pés do meu Senhor; — virei meu peito
Encher de religião, de amor, de fogo,
Que além de infindos céus minha alma exalte.

II

Quem me dera nas asas deste vento,
Que agora tão saudoso aqui murmura,
Agitando as cortinas, que me encobrem
Do teu rosto o fulgor, que me não cegue,
Subir além dos sóis, além das nuvens
Ao teu trono, ó meu Deus; ou quem me desse
Ser este incenso que se arroja em ondas
A subir, a crescer, em rolo, em fumo,
Até perder-se na amplidão dos ares!
Não qu'ria aqui viver! — Quando eu padeço,
Surdez fingida a minha voz responde;
Não tenho voz de amor, que me console,
Corre o meu pranto sobre terra ingrata,
E dor mortal meu coração fragoa[560].
Só tu, Senhor, só tu, no meu deserto
Escutas minha voz que te suplica;
Só tu nutres minha alma de esperança;
Só tu, ó meu Senhor, em mim derramas
Torrentes de harmonia, que me abrasam.

Qual órgão, que ressoa mavioso,
Quando segura mão lhe oprime as teclas,
Assim minha alma, quando a ti se achega,
Hinos de ardente amor disfere grata:
E, quando mais serena, inda conserva
Eflúvios[561] desse canto, que me guia
No caminho da vida áspero e duro.
Assim por muito tempo reboando
Vão no recinto do sagrado templo
Sons, que o órgão soltou, que o ouvido escuta.

---

560 Fraguar: amargurar, afligir.
561 Emanações, perfumes.

TE DEUM[562]

> Nós, Senhor, nós te louvamos,
> Nós, Senhor, te confessamos.

Senhor Deus Sabaot[563], três vezes santo,
Imenso é o poder, tua força imensa,
Teus prodígios sem conta: — e os céus e a terra
Teu ser e nome e glória preconizam[564].
E o arcanjo forte, e o serafim sem mancha[565],
E o coro dos profetas, e dos mártires
A turba eleita — a ti, Senhor, proclamam
Senhor Deus Sabaot, três vezes santo.

Na inocência do infante és tu quem falas;
A beleza, o pudor — és tu que as gravas
Nas faces da mulher —, és tu que ao velho
Prudência dás —, e o que verdade e força
Nos puros lábios, do que é justo, imprimes.

És tu quem dás rumor à quieta noite,
És tu quem dás frescor à mansa brisa,
Quem dás fulgor ao raio, asas ao vento,
Quem na voz do trovão longe rouquejas.

És tu que do oceano à fúria insana
Pões limites e cobro[566] — és tu que a terra
No seu voo equilibras —, quem dos astros
Governas a harmonia, como notas
Acordes, simultâneas, palpitando
Nas cordas d'Harpa do teu Rei Profeta,
Quando ele em teu louvor hinos soltava,
Qu'iam, cheios de amor, beijar teu sólio[567].

Santo! Santo! Santo! — teus prodígios

---

562 Primeiras palavras de um hino atribuído a Santo Ambrósio (340-397), cantado especialmente em ações de graças: *Te Deum laudamus*, isto é, Louvamos-te, Deus.
563 Senhor dos Exércitos, Deus é o possuidor de todas as criaturas.
564 Apregoam.
565 Arcanjo e serafim: anjos de hierarquia superior.
566 Termo, fim.
567 Trono, assento real.

São grandes, como os astros —, são imensos,
Como areia delgada, em quadra estiva[568].

E o arcanjo forte, e o serafim sem mancha,
E o coro dos profetas, e dos mártires
A turba eleita — a ti, Senhor, proclamam,
Senhor Deus Sabaot, três vezes grande.

ADEUS

Aos meus amigos do Maranhão

Meus amigos, Adeus! Já no horizonte
O fulgor da manhã se empurpurece[569]:
É puro e branco o céu —, as ondas mansas,
— Favorável a brisa; — irei de novo
Sorver o ar puríssimo das ondas,
E na vasta amplidão dos céus e mares
De vago imaginar embriagar-me!
Meus Amigos, Adeus! — Verei fulgindo
A lua em campo azul, e o sol no ocaso
Tingir de fogo a implacidez[570] das águas;
Verei hórridas trevas lento e lento
Desceram, como um crepe[571] funerário
Em negro esquife[572], onde repoisa[573] a morte;
Verei a tempestade quando alarga
As negras asas de bulcões, e as vagas
Soberbas encastela, esporeando
O curto bojo de ligeiro barco,
Que geme, e ruge, e empina-se insofrido[574]
Galgando os escarcéus[575] —, bem larga esteira
De fósforo e de luz trás si deixando:
Generoso corcel, que sente as cruzes

---

568 Período do verão.
569 Avermelha.
570 Turbulência.
571 Tecido negro, de luto.
572 Caixão.
573 Repousa.
574 Impaciente.
575 Vagalhões, ondas grandes.

Agudas de teimosos acicates[576]
Lacerarem-lhe rábidas o ventre[577].

Inda uma vez, Adeus! Curtos instantes
De inefável prazer — horas bem curtas
De ventura e de paz fruí convosco:
Oásis que encontrei no meu deserto,
Tépido vale entre fragosas serras
Virente derramado, foi a quadra
Da minha vida, que passei convosco.
Aqui de quanto amei, do que hei sofrido,
De tudo quanto almejo, espero, ou temo
Deslembrado vivi! — Oh! quem me dera
Que entre vós outros me alvejasse a fronte,
E que eu morresse entre vós! Mas força oculta,
Irresistível, me persegue e impele.
Qual folha instável em ventoso estio
Do vento ao sopro a esvoaçar sem custo;
Assim vou eu sem tino —, aqui pegadas
Mal firmes assentando — além pedaços
De mim mesmo deixando. Na floresta
O lasso[578] viandante extraviado
Por todo o verde bosque estende os olhos,
E cansado esmorece —, cai, medita,
Respira mais de espaço, cobra alento,
E nas soidões[579] de novo ei-lo se entranha.
Vestígios mal seguros sopra o vento,
Ou nivela-os a chuva, ou relva os cobre:
Talvez que folhas ásperas de arbusto
Mordam velos[580] da túnica, e denotem
(Duvida o viajor, que os vê com pasmo)
Que errante caminheiro ali passasse.
E eu parti! — Não chorei, que do meu pranto
A larga fonte jaz de há muito exausta;
Há muito que os meus olhos não gotejam
O repassado fel d'acre amargura;
E o pranto no meu peito represado

576 Esporas.
577 Entenda: as esporas raivosas machucam o ventre do corcel.
578 Fatigado, cansado.
579 Solidões.
580 Lãs.

PRIMEIROS CANTOS

Em cinza o coração me há convertido.
É assim que um vulcão se torna fonte
De linfa amarga e quente; e a fonte em ermo,
Onde não crescem perfumadas flores,
Nem tenras aves seus gorjeios soltam,
Nem triste viajor encontra abrigo.

Rasgado o coração de pena acerba,
Transido[581] de aflições, cheio de mágoa,
Miserando parti! tal quando réprobo[582],
Adão, cobrindo os olhos co'as mãos ambas,
Em meio a sua dor só descobria
Do Arcanjo os candidíssimos[583] vestidos,
E os lampejos da espada fulminante,
Que o Éden tão mimoso lhe vedava.
Porém quando algum dia o colorido
Das vivas ilusões, que inda conservo,
Sem força esmorecer —, e as tão viçosas
Esp'ranças, que eu educo[584], se afundarem
Em mar de desenganos; — a desgraça
Do naufrágio da vida há de arrojar-me
A praia tão querida, que ora deixo,
Tal parte o desterrado: um dia as vagas
Hão de os seus restos rejeitar na praia,
Donde tão novo se partira, e onde
Procura a cinza fria achar jazigo[585].

581 Impregnado, cheio.
582 Condenado, perverso.
583 Muito cândido, puríssimo.
584 Cultivo.
585 Versos proféticos: o poeta morreu no mar e seu corpo nunca foi encontrado.

REFERÊNCIAS BIBLIOGRÁFICAS

AULETE, Caldas. **Dicionário Contemporâneo de Língua Portuguesa**. 5.ed. Rio de Janeiro: Delta, 1966.

BÍBLIA sagrada. Trad. João Ferreira de Almeida. Brasília: Sociedade Bíblica do Brasil, 1969.

BUENO, Silveira. **Vocabulário tupi-guarani-português.** São Paulo: Editora Gráfica Nagy, 1983.

CACHERO, José María Martínez. **Diccionario de escritores célebres**. Madri: Espasa Calpe, 1995.

CIRLOT, Juan-Eduardo. **Dicionário de símbolos.** Trad. Rubens Eduardo Ferreira Frias. São Paulo: Editora Moraes, 1984.

COELHO, Jacinto Prado. **Dicionário de Literatura.** Porto: Lavra livros, 1978.

DIAS, Antônio Gonçalves. **Poesia e prosa completas.** Organização de Alexei Bueno. Rio de Janeiro: Nova Aguilar, 1998.

_____. **Poemas**. Seleção, introdução e notas de Péricles Eugênio da Silva Ramos. Rio de Janeiro: Ediouro, [s.d.].

_____. **Literatura comentada.** Seleção de textos e notas de Beth Brait. São Paulo: Abril Educação, 1982.

_____. **Poesia**. Organização de Manuel Bandeira. 8.ed. Rio de Janeiro: Agir, 1977.

GUIMARÃES, Bernardo. **Elixir do Pajé**. Sabará: Edições Dubolso, 1988.

HARVEY, Paul. **Dicionário Oxford de Literatura Clássica**. Trad. Mário da Gama Cury. Rio de Janeiro: Jorge Zahar Editor, 1987.

HOLANDA, Aurélio Buarque de. **Novo Dicionário Aurélio da Língua Portuguesa**. 2.ed. Rio de Janeiro: Nova Fronteira, 1986.

IVO, Ledo. **Poesia observada**. Rio de Janeiro: Orfeu, 1967.

Mc NAIR, S. E. **Pequeno Dicionário Bíblico**. 4.ed. Teresópolis: Casa Editora Evangélica, 1947.

MOISÉS, Massaud. **Dicionário de termos literários**. São Paulo: Cultrix, 1973.

RAMOS, Péricles Eugênio da Silva. **Do Barroco ao Modernismo**. 2.ed. Rio de Janeiro: LTC, 1979.

RÓNAI, Paulo. **Não perca o seu latim**. 2.ed. Rio de Janeiro: Nova Fronteira, 1980.